Cancer du Capricorne

Du même auteur
chez le même éditeur

Un café, une cigarette
Dieu a tort
Le Bal des capons
La Dette du diable
Le Théorème de l'autre

Jean-Jacques Busino

Cancer du Capricorne

Rivages

Retrouvez l'ensemble des parutions
des Éditions Payot & Rivages sur

www.payot-rivages.fr

106, boulevard Saint-Germain – 75006 Paris

ISBN : 978-2-7436-2034-9

Je suis mort à trente-huit ans. C'est toujours cinq de plus que le Christ et je n'ai pas eu à ressusciter pour rester debout. Au moins, je n'ai rien demandé à mon père et je n'ai pas été cloué à une croix. Par contre, j'aurais bien aimé me coucher, fermer les yeux et lâcher la rampe. J'ai pourtant senti les clous. Nonobstant je suis forcé de vivre. Encore faut-il se mettre d'accord sur ce que vivre signifie. État physique qui se dégrade, santé défaillante, douleur physique et phénomènes médicaux idiopathiques, j'ai toutes les raisons de cesser de me casser les ongles le long des épontes sur lesquelles je glisse. Paradoxalement, en trente ans, la vie m'a tout donné et même plus. La facture est bien au-dessus de mes moyens. Mais la vie se résume-t-elle en termes comptables ? La vie n'a pas de prix, personne n'est foutu de la chiffrer. Je sais pourtant qu'il m'a été beaucoup donné ! Encore un de ces préceptes que personne ne comprend, mais que tout le monde fait siens. À un point tel que j'ai cessé de croire que nous sommes tous à égalité. Certains ont plus, beaucoup plus. Dès le départ de la course, on distingue immédiatement les tocards des vainqueurs. Lorsque du jour au lendemain la spirale de la vie part en sens inverse, l'on ne peut que se poser des questions. C'est malheureusement lors de ces moments que l'on se rend compte de ce qu'on avait. Perdre pour se rendre compte de ce que l'on possédait. Durant trente ans, je me suis dit que les tuiles passaient toujours à quelques centimètres et que mon ange gardien bossait dur. Tout ce que j'avais touché avait fonctionné et la vie m'avait gâté. Du jour au lendemain ça c'est grippé. Durant quelques mois j'ai essayé de comprendre. J'ai cherché dans la Bible, le Coran ou chez Nietzsche. Les livres sont restés muets. J'avais pourtant mis toutes les chances de mon côté, au cas où Ils auraient vraiment été deux au-dessus de nous. J'aimerais avoir la foi. Je suis un athée frustré, sceptique, voire jaloux. Je ne suis même pas capable de faire de l'athéisme ma religion. Je ne supporte plus la règle de l'alternative. Bourreaux contre victimes, patrons contre employés, heureux contre malheureux. La haine et la rage me maintiennent debout. Debout jusqu'à demain. Une expression que je me suis rabâchée tant de fois, comme une comptine qui me rassure.

Les livres et les disques que j'ai usés jusqu'à la couenne m'ont apaisé. Thompson, Zappa et Neil Young m'ont évité de sauter du pont. Richter, Franz ou Dante m'ont fait rêver le temps nécessaire à trouver un autre disque, un autre livre ou un film ; un autre Sergio Leone, un grand Eastwood, ou un nouvel Hermann, enfin, de quoi croire aux lendemains, même lorsque, comme moi, on fait partie des laborieux, de ceux qui doivent bosser dur. Une mélodie de guitare de Fripp, quand Marotta lui donne le tempo et que Try Gunn appuie les notes basses pour vivre, un moment, comme les organes d'un même corps. La batterie rythme mes mots, le « Chapman Stick » me donne un air qui me calme et les harmoniques de Fripp deviennent les idées que je vais développer. La caisse claire de Marotta me signale quels sont les arguments que je dois appuyer, marteler. Tout est musique. Chaque jour est rythmé par une musique, un groove ou une mélodie. Je ne ressens aucune émotion, juste de la musique. Les images me déclenchent des sons, les films me laissent une musique qui me raconte une histoire, les livres sont toujours assimilés à des opéras. Le style, l'écriture, le choix des couleurs m'apparaissent comme un orchestre, avec plus ou moins de violons, de basses ou de cuivres selon qui écrit ou qui peint. Je suis incapable de faire sortir certaines émotions, comme si elles étaient des signes de faiblesse, la peur d'ouvrir une brèche et de faire sauter tout le barrage ; la construction de toute une vie. Les sons, surtout les basses, me permettent d'exprimer certaines choses sans que les autres puissent les saisir. C'est une forme de protection, de cloisonnement. Je me protège en permanence. Pas des autres, pas de ceux qui me côtoient, mais de mes émotions. Dès qu'elles prennent le dessus, je perds le contrôle et il faut absolument que la musique revienne, plus fort que le reste, pour que mon comportement soit celui que j'attends d'un homme. Je n'ai aucune idée de ce que font les autres avec leurs instruments, moi, j'évite de perdre la mémoire ou la route que je me suis fixée. La musique est ma ligne blanche, les musiciens mon code de la route. Tous les musiciens sont des humains, Robert Fripp est un humain, je suis un humain, je peux donc être musicien. Et cette logique alambiquée fonctionne tant que l'on évite de comparer ce qui ne peut l'être. Cela rassure l'humain lambda que je suis. Pour ma part, passer deux heures avec Zappa ou Talk Talk me donne envie de travailler plus, tout en sachant qu'il y a des sommets que je n'atteindrai jamais. Pas parce que j'ai une jambe en moins ou que la génétique ne me permettra jamais de m'aligner sur une finale de cent mètres. Mais sauf à crever les oreilles de tous les musiciens ou casser tous les doigts des écrivains qui travaillent mieux que moi, l'âge m'a appris que je n'aurai jamais le petit quelque chose qui fait que l'on va aller plus loin que les autres.

Me lever ou me coucher, vivre ou tuer, me résigner ou me révolter est le seul choix de mon quotidien. Mourir, je n'en ai même plus le droit. J'ai passé mon existence à essayer de respecter des codes, de façon à ressembler à un homme. Plus exactement à ce que mon père m'a inculqué de ce qu'est un homme, ce que doit être un humain et, sur ce coup, j'ai morflé. J'ai cherché par tous les moyens à rester libre et je n'ai fait que construire ma propre prison où mourir n'est même plus à l'ordre du jour. Cela prêterait à rire si j'avais encore le cran de trouver un aspect comique à mon existence. Ce n'est pas faute d'avoir essayé, je connais par cœur le goût du canon d'un flingue dans ma bouche.

Une seule certitude acquise en trente ans. Il n'y a pas de quoi pavoiser. Le meurtre n'a jamais été abordé durant mon éducation et c'est pourtant actuellement la seule échappatoire à ma rage. Un meurtre à chaud, sans fioritures. Le système judiciaire fera en sorte que je ne prenne que six ou sept ans. Je n'en ferai au pire que trois. L'autre solution serait le meurtre froid et pensé. Un meurtre que tout le monde pourrait m'attribuer. Un meurtre simple, mais un alibi en béton. Je serais le premier suspecté, mais personne ne pourrait trouver la moindre preuve. Cela demande juste de faire confiance à un autre, une autre personne qui a besoin du même service, et de lui proposer un échange. Reste à trouver un complice qui soit prêt à vivre avec un meurtre sur la conscience. Pour ma part, c'est déjà le cas et je ne crois pas qu'un de plus me fasse le moindre effet. J'ai commis le meurtre le pire qui soit. Les autres ne seront que des pis-aller. Quand bien même cela tournerait au vinaigre, il me reste si peu à perdre. Entre une femme qui arrache la moquette et qui repeint les murs, une fille qui dort toute la journée et moi qui cherche à ne pas me souvenir de mes rêves, le tableau est d'une tristesse calviniste. Pour ne pas garder le goût des songes, il me faut des doses de somnifères pour chevaux. Toujours plus. Fermer les yeux, parfois juste une heure, le plus souvent proche du coma.

Embrasser ma fille, lui dire que je l'aime, avaler de la morphine et dormir. Aujourd'hui c'est la seule chose que je suis capable de faire, histoire d'arriver à demain. Sous mon oreiller, un neuf millimètres Sig-Sauer P226s chargé jusqu'à la gueule est prêt à vomir. La question est de savoir qui encaissera le plomb. À cet instant de mon parcours, la seule issue possible à mon emprisonnement passe obligatoirement par cet acte. Que ce soit un suicide ou l'assassinat du grain de sable de mon existence n'a aucune espèce d'importance. Ce n'est qu'une question de sémantique. Il y aura toujours quelqu'un pour dire que je me suis donné la mort, que j'ai perdu la vie ou que la victime a trouvé la mort.

Le suicide est un meurtre qui n'a plus de coupable à juger.

Le constat me plonge immédiatement dans un abîme de tristesse : une femme qui feint de m'aimer encore, qui me supporte comme on le fait d'une voiture hors d'usage mais qui peut encore rouler quelques kilomètres, et une fille pour laquelle je reste un mystère ou, au mieux, un élément pathogène dans son existence. Le fait d'être un poison contre lequel elle ne s'est pas mithridatisée durant les seize premières années de sa vie serait pour n'importe quelle personne sensée une bonne raison de rester au fond de son lit ou de disparaître. Comme on ne vient pas de nulle part, j'ai appliqué ce que mon père m'a appris à faire. Penser, analyser, réfléchir et s'abstraire de la situation pour lui donner un éclairage nouveau. Ne pas laisser les a priori et les schémas acquis prendre le dessus. Regarder la situation comme si elle ne me concernait pas. Reprendre l'histoire depuis le début et comprendre le pourquoi du comment. Comprendre pourquoi je suis à cet endroit, à ce moment et dans cet état. L'Histoire comme mode d'emploi, la réflexion comme outil de comparaison et la mise en perspective comme une forme de psychanalyse de la communauté, de toutes les personnes qui ont un rôle dans cette histoire. Comme si un sociologue dément étudiait une seule personne pour comprendre l'époque dans laquelle il vit, ou une période bien définie. Regarder tous les aspects de la situation, la comparer à ce qui est connu, extrapoler et imaginer les différentes options pour choisir non pas la bonne, mais celle qui a le moins d'effets secondaires. Le fait est que toutes en ont. L'idéal serait de choisir celle qui en comporte le moins. À partir de maintenant, il me faut reprendre mes souvenirs et les remettre dans l'ordre pour les regarder tels qu'ils sont et non tels que je les aimerais. Il faut que j'analyse comment, d'un point A, j'en suis arrivé à aujourd'hui. Ce que je déciderai pour la suite est, en toute logique, la conséquence de la rencontre peu probable, il y a une centaine d'années, de deux spermatozoïdes et de deux ovules, lesquels ont donné deux êtres qui ont décidé de m'avoir pour enfant voici trente-huit ans. De la compréhension d'où je viens et de comment je suis arrivé jusqu'à aujourd'hui découleront les réponses qui me permettront de savoir quelles venelles suivre et quels actes commettre. Il ne faut pas réfléchir sur la méthode pour trouver la solution, car la solution est la méthode.

Le côté comique est que contrairement à ce qui avait été prédit à mon ordinateur, c'est moi que le bogue de l'an 2000 a cloué au sol.

Je n'ai rien vu venir. La claque a été à la hauteur. D'abord des petites taches qui grattent sous les genoux. Des visites à répétition chez le dermatologue, toutes les marques de crème à la cortisone et, début septembre, mes poumons qui se remplissent de liquide. La suite, je l'ai regardée comme un épisode d'une série télévisée scénarisée par un hystérique hyperactif. Le langage médical est imperméable. Les mots utilisés sont compliqués, presque cabalistiques. Comme je ne comprenais rien, j'ai fait comme tout le monde. J'ai regardé la tête des personnes qui débattaient. Voir l'expression de ma femme lorsqu'elle a posé les yeux sur le fax du laboratoire d'analyses m'a permis de comprendre que je n'avais pas un simple rhume. Je passais directement de malade banal à détenteur du record mondial du nombre d'éosinophiles par millimètre cube de sang. Vivre avec un médecin n'a pas que des désavantages. Peut-être une histoire de distanciation thérapeutique.

Les discussions devenaient surréalistes. Je ne comprenais rien. Il fallait que je visualise que, dans mon sang, se promenaient de grosses cellules ressemblant à des marshmallows, en surnombre, qui bouchaient les plus petits vaisseaux sanguins. Surprenant d'apprendre qu'il y a, dans le corps de l'homme, des cellules qui ne franchissent pas tous les tuyaux. Pour avoir retapé quelques maisons, je me suis surpris à penser que Dieu n'était pas un aussi bon architecte que je pouvais le croire. Il ne me serait jamais venu à l'esprit de flanquer dans une maison des tuyaux qui ne laisseraient pas passer les étrons. J'ai même toujours eu tendance à poser des tubes électriques dix fois plus gros que nécessaire.

D'un spécialiste à un autre, je découvrais de nouvelles facettes des médecins. Sortis des rhumes et des boutons d'acné, les toubibs agissaient comme moi à la sortie d'un disque de Zappa : le mettre en boucle, jusqu'à ce que tout soit compris, assimilé. Ceux qui n'avaient pas assez de temps viraient les autres patients pour me garder plus longtemps. Examens, ponctions, prises de sang. Je gravissais les échelons en allant chez le spécialiste qui possédait les plus grandes connaissances, le plus de bouteille, le plus d'expérience. Pour moi, c'était celui qui était considéré par ses pairs comme le plus qualifié, en fonction de règles obscures et non explicitées. Impossible de contredire un médecin qui n'a, comme proposition, qu'un rendez-vous chez un de ses collègues et qui vous écrit une belle lettre d'introduction et une ordonnance pour du paracétamol. Arrivé vers les sommets, il a bien fallu que j'aille me montrer dans les services hospitaliers universitaires. Pour un phobique de l'hôpital comme moi, la désensibilisation a été fulgurante. Je passais d'un service à un autre. J'ai accepté de dormir dans une chambre en compagnie de sept autres malades, et je n'ai rien dit quand on m'a laissé dans un couloir entre les portes de deux services.

Après trois semaines d'investigations vaines, un grand ponte de l'hôpital a essayé de me faire comprendre, en termes simples, à quelle sauce je serais mitonné. Après un quart d'heure de questions sur mes enfants, mes assurances, mes relations avec mes proches, j'ai fini par l'interroger pour qu'il me livre le fond de sa pensée comme on le voit dans les films.

En me demandant si mes affaires étaient en ordre, il me glissait à l'oreille que je ne passerais pas Noël. La fin du monde pour moi tout seul avec trois cent cinquante-neuf jours de retard.

La seule chose visible de l'extérieur était que mes extrémités se nécrosaient. Impossible de prononcer le nom de cette maladie et l'adjectif « idiopathique » m'était insupportable. Néanmoins, je l'ai utilisé. Tant qu'à faire, « idiot » me permettait d'insulter cette maladie dont le nom même m'écorchait la bouche.

Le marathon des examens tournait au comique. J'avais rendez-vous à huit heures chez un spécialiste du bouton sur la fesse gauche. Au bout d'une petite vingtaine de minutes, je sortais du cabinet avec un bon pour aller faire une IRM ou un scanner. Après quarante-cinq minutes d'expérience mystique dans des machines qui font penser à l'image d'Épinal du passage de vie à trépas, j'allais chez un autre spécialiste qui s'occupait des ongles et de la pression dans ma tuyauterie et qui me renvoyait directement faire un autre scanner ou examen que j'avais fait deux heures auparavant. Au bout d'une petite semaine, la réceptionniste du centre d'examens m'appelait par mon prénom. Dans le même temps, j'appris toutes les spécialités de la médecine moderne. Il y a même des spécialistes de l'anus. Je n'imaginais pas que l'on puisse faire de longues études pour décider de devenir proctologue et, durant l'heure passée à glander dans la salle d'attente, je scrutais les patients en essayant d'imaginer leur tête avec un tuyau dans le derrière. Quand vint mon tour, je compris pourquoi on m'avait injecté un amnésiant avant de m'en enfiler plusieurs mètres par-derrière pour me scruter l'intérieur. À la sortie, le seul souvenir que j'en gardai était les nombreuses reproductions de Tintin et les planches originales sur les murs. Le reste ne se fixa pas dans ma mémoire. J'arrive à concevoir qu'un enfant veuille devenir pompier, médecin, conducteur de locomotives, mais ce n'est certainement pas par vocation que quelqu'un décide de s'occuper du bout du tunnel.

Après que l'on m'eut enfilé des tubes, des caméras, des produits de contraste et toutes sortes d'aiguilles dans tous les tuyaux et par tous les trous, je n'avais pas le début d'une idée sur ce qui m'arrivait. Crever à Noël. Marrant. Je crois que je n'aurais pas pris conscience de la gravité de mon cas, si le bout de mon index n'était pas tombé dans mon café. L'absence de douleur rendait la situation ubuesque, cinématographique, pasolinienne. Je voyais l'os. Il manquait un bon centimètre carré de peau et de barbaque qui devait tremper dans mon café, avec mon ongle. S'il n'y avait pas eu cette odeur de merde qui émanait de mon doigt, j'aurais bu le café.

Chez moi, ma femme me traitait comme un oiseau tombé du nid ou comme un patient. Je ne pouvais pas regarder mes enfants en face. Le silence me desservait. Ils savaient. Je n'avais pas les mots.

Mon fils ne disait rien et lorsque la cadette rompait l'omerta, elle se ramassait une calotte de la part de son frère qui avait décidé de prendre tout ce que je disais pour parole d'Évangile. Mais la question était lâchée. Ma réponse tomba avec la virulence d'un prêtre fanatique face à une diseuse de bonne aventure musulmane. Je ne me laisserais pas abattre par une maladie dont le nom se terminait par « idiopathique ». La langue française a toujours été merveilleuse pour promener les gosses. La maladie était idiote et pas tic, et donc elle ne ferait pas toc, ou le contraire. Je pouvais décliner ces foutaises à l'infini. Fallait juste enfoncer le clou. Les deux mains bien à plat sur la table, je leur demandais s'ils me voyaient comme un homme capable de laisser les deux plus belles réussites de sa vie seules et sans soutien. L'aîné le prit pour acquis, la petite décida que ce n'était qu'une de mes phrases parmi tant d'autres, de celles que je disais à mes enfants pour qu'ils s'endorment et qu'ils me foutent la paix.

Mes semaines étaient rythmées par les rendez-vous chez des spécialistes. Pneumologue, oncologue, angiologue, dermatologue, tout ce qui se terminait en « ogue » m'accueillait et me passait sous la loupe. Au bout d'un mois, la première crise de douleur survint. Un coup de couteau dans l'épaule. Tomber dans les pommes. Et comme il faut toujours que la réalité soit écrite par un scénariste qui n'a pas le sens de la mesure, je m'effondrai de tout mon long, devant mes gosses, la tête la première dans un placard contenant les poêles à frire. J'ordonnai à ma femme, sous les yeux de mes enfants terrorisés, de m'enlever le poignard qu'elle m'avait planté dans le dos, celui que ma main n'arrivait pas à saisir.

Durant des semaines, je me pris pour Mohamed Ali à Kinshasa face à Forman. Je passais mes journées et mes nuits à combattre la douleur. Les seules descriptions que je pus en donner aux médecins faisaient rire ma femme et laissaient mes interlocuteurs bouche bée. Mes ongles s'ouvraient et le sang sortait comme un jet à haute pression. La douleur s'atténuait lorsque le sang giclait. Je contemplais cela comme un jet d'arrosage en pleine canicule. Après une semaine d'hôpital et de gloire – une fois que tous les pontes furent passés sur mon cas –, ma femme surprit une discussion des grands hommes dans le couloir et leur fit remarquer qu'ils parlaient de son mari et d'un humain ; elle exigea que les recherches et les examens tous azimuts cessent et que quelqu'un s'occupe de mon cas et commence un traitement. La charge eut pour effet une retraite rapide des spécialistes. Le seul qui accepta le fardeau était un hématologue, soit génial soit complètement inconscient. Lors de la première consultation, il répéta plusieurs fois qu'il n'y comprenait rien et qu'il ne savait pas vraiment ce qu'il fallait faire, hormis un traitement expérimental et certainement pas très académique. Il avait besoin de quelques jours pour mesurer les risques. Je crevais de douleur. Pour cela, il avait la solution et me prescrivit de la morphine. Encore un de ces mots qu'il ne faut pas prononcer devant des enfants. La seule chose qu'ils entendent est le contraire de « mort large », pour autant que la mort ait une quelconque consistance.

Je ne sais toujours pas si l'inventeur de la morphine a reçu le prix Nobel de médecine, mais je lui serai éternellement reconnaissant. Je pouvais dormir deux heures d'affilée. Du bonheur à l'état pur.

Plus Noël approchait, plus je me posais la

question de quand j'allais y passer. La science avait-elle fait suffisamment de progrès pour prévoir précisément la mort de quelqu'un ou, dans la bouche d'un médecin, Noël était-il une période qui allait du 1er décembre au 1er février ? Allais-je claquer le jour du petit Jésus ?

En attendant de vérifier les prédictions, je passais par toutes les couleurs de l'arc-en-ciel. Vert lorsque la chimio se diffusait dans mon sang, violet lorsque je vomissais alors que mon estomac était vide, bleu ciel lorsque, de peur que la douleur ne revienne, j'abusais de la morphine pour me retrouver dans un état où le temps ne s'écoulait plus, la mémoire éteinte et l'hier absent. J'expérimentais les produits de dopage. Les corticoïdes à haute dose me donnaient une force herculéenne durant quelques heures. Mes proches vivaient au ralenti et je percevais le monde comme un plan-séquence trop long dans un film français, étiré et totalement inutile. Lorsque je m'amusais à essayer de voir jusqu'où mon corps pouvait aller, je le payais le lendemain avec des fractures de fatigue, des douleurs encore plus fortes, des membres endoloris et l'absence totale de souvenir des horreurs que j'avais pu débiter à mes enfants, spectateurs obligés de ma déchéance.

L'avantage de la maladie est que les autres ont une patience à toute épreuve et vous passent tout. L'embarras, c'est qu'on a avantage à crever, sans quoi on reprend dans la figure toutes les erreurs commises, les oublis et tout ce qui n'aurait pas dû être fait.

Cette maladie se présentait comme un happening somme toute peu artistique. Le jeu de cache-cache devenait barbant, mais la réalité n'a aucun sens de la mesure, à l'instar de l'acte artistique qui, pourvu que l'artiste soit le premier, autorise toutes les extravagances. Si une baguette de pain peinte en bleu peut devenir une œuvre d'art, le doigt nécrosé d'un bassiste ne devrait choquer personne. Sauf qu'après l'an 2000, les Européens qui crachent sur la médecine ne supportent toujours pas qu'un médecin n'ait pas de solution toute faite et ne guérisse pas une maladie en quelques semaines. En tant que patient, je découvrais les divergences de points de vue entre spécialistes et devenais le terrain de règlements de comptes. La moindre excroissance devenait une tumeur, un ganglion ou une boule de graisse. Ce qui est merveilleux, c'est que lorsqu'un médecin parle d'une tumeur, il voit une masse d'origine inconnue, alors que le patient, lui, entend : « Tu meurs. » Et pour la plupart des praticiens, la psychologie devait faire partie des cours facultatifs. On charcutait, enlevait, prélevait, ouvrait et refermait. La peau est une membrane fantastique ; malgré le nombre de piqûres, de trous et de prélèvements, j'étais toujours imperméable.

Au fur et à mesure que la date fatidique approchait et que les médicaments me faisaient ressembler à un zombie, je crus bon d'informer mon père et de lui demander de protéger mes enfants. J'étais donc arrivé à un âge où je pouvais mesurer l'étendue de ce qu'il m'avait donné, à savoir l'érudition et le plaisir de trouver la réponse. La curiosité : certainement le don le plus précieux qu'un gosse puisse recevoir. J'attendais certainement de sa part une réponse ou une explication à ce qui m'arrivait. Je me retrouvais à ravaler mon angoisse pour sécher ses larmes. Mon père : l'homme qui avait un livre pour tout, une réponse à toutes les interrogations qu'un être humain peut se poser, se retrouvait démuni face à des éosinophiles. Il y avait donc des situations où l'émotion prime, et où le savoir n'apporte aucun réconfort. J'avais beau être père de deux enfants, le gosse en moi espérait que papa ait une explication à la présence de ces cellules dans mon organisme.

En revenant chez moi, j'entendis à la radio qu'un clown s'était suicidé. Je m'arrêtai le long de la route et pleurai, pour la première fois depuis longtemps, à chaudes larmes.

Le soir même, je décidai de ne plus parler de cette maladie à mes proches. En une dizaine de personnes, j'avais fait le tour des réactions possibles et elles ne me plaisaient pas. Entre la pitié et la fuite, la colère et l'empathie, l'omniprésence et la négation, l'échantillon des attitudes de ceux que je côtoyais depuis des années remettait en cause passablement de choses et je ne me sentais pas capable d'y consacrer quelques heures de réflexion. Je repris ma bonne vieille méthode qui consiste à cloisonner. Tenir à l'écart certains, mentir quand il le fallait et ne rien retenir de ce que me disait mon médecin. Le maintien de mon organisme devenait son problème. Je me contentais de manger les pilules qu'il me prescrivait et acceptais sans rien dire les injections qui allaient me faire perdre le goût de la bonne bouffe et me transformer en spécialiste des formes complexes des cuvettes de chiottes. Tant qu'à passer les nuits la tête dedans, autant mettre à profit ces moments pour analyser les pentes, les formes et les endroits d'où sort l'eau. Je connais les moindres aspérités de ce qui était devenu *ma* cuvette. À la huitième séance, je pouvais dormir appuyé contre le lavabo et vomir trois secondes après mon réveil sans en mettre une goutte à côté. Ça ne sert à rien, mais les nuits sont longues.

Rapidement, deux problèmes prirent le dessus sur les autres. L'angoisse de mes enfants, perceptible, et mon incapacité à pouvoir l'apaiser. Aucun exemple auquel me référer : mon père n'avait officiellement jamais été malade durant toute mon enfance. Ma mère nous vendait qu'il était en voyage, à des séminaires. Mon père ne mettait pas un genou à terre, mais ne m'aurait jamais laissé crucifier, même pour la rédemption des péchés de tous les sociologues. La possibilité de laisser des orphelins m'apparaissait comme honteuse et indigne de ce qu'on m'avait enseigné. Comme on reproduit ce que l'on a eu comme modèle, je devais m'approcher de ce qu'avait fait mon père avec mes frères et moi. S'il n'avait jamais été malade, c'est que je devais certainement avoir commis une erreur. Pour l'angoisse de mes enfants, une bonne grosse diatribe péremptoire ferait peut-être l'affaire. Je faisais le serment que je ne mourrais pas tant qu'ils ne seraient pas majeurs, adultes, libres et heureux. Mon fils accepta le marché, ma fille pensa que si je le disais, c'est qu'il était possible que je meure, et ce, assez rapidement. C'était la deuxième fois que je leur parlais ex cathedra, entre six yeux, avec le ton d'un acteur de sitcoms.

Mon rôle était celui de Mohamed Ali, dans les cordes, martelé par Forman, attendant l'opportunité de placer un gauche droite, puis un uppercut, gardant la droite en réserve, sans l'utiliser, accompagnant la chute, pour entrer dans la légende et rester dans l'histoire, au minimum celle de ma famille.

Chaque soir, je visionnais le match de septante-quatre. Je lus et vis tout ce qui avait été fait sur Ali et décidai que, comme pour lui, la force de Forman ne marquerait que les sacs de sable. J'étais Ali, mon salon un ring. Genève et ses médecins, Kinshasa et le public.

La douleur devenait insupportable, intolérable et constante. Les doses de morphine augmentaient chaque jour, dans l'espoir de trouver un certain bien-être, un tout petit peu de paix.

Un des rares avantages de la douleur est qu'elle amène à un certain type de lucidité. L'argument est discutable, mais lorsqu'on a mal, on ne dort pas, on a donc plus de temps, du temps pour réfléchir.

Le raisonnement est tiré par les cheveux, mais c'est ainsi que j'ai commencé à me poser des questions qui, en temps normal, ne m'auraient même pas effleuré.

L'impression d'avoir une vie en deux parties vient-elle du fait que depuis 2000 je pars en couilles, ou est-ce simplement parce que le vingtième siècle s'est terminé ?

À bien y réfléchir, je suis le produit de la rencontre peu probable d'un Italien du sud et d'une Italienne du nord qui se trouvaient à Genève pour des raisons qui m'ont toujours échappé. Comme si un coup de chance ne suffisait pas, un deuxième a naturellement précédé le troisième. Second d'une fratrie de trois, j'ai eu la chance d'avoir pour père un sociologue et une mère historienne d'art. J'ai vécu longtemps sans avoir la moindre idée de ce qu'était la sociologie et ce n'est que fort tard que j'ai compris que ce n'était pas un sport de combat. Le troisième n'est même pas un corollaire du second : je suis né curieux dans une famille prête à me fournir toutes les réponses. Du moment où je me suis rendu compte que ce n'était pas le cas de tous mes camarades, j'ai cessé de me comparer aux autres ; la chance allait de soi. Jusqu'à mes trente-cinq ans en l'an 2000, je n'ai jamais cessé de penser qu'une bonne fée veillait sur moi. Je lui ai donné le visage de ma tante Nettina. La plus douce des femmes. Une voix et un visage d'ange, une lueur bleue près de mon cœur. La première femme désirée, attendue, adulée. Une tante qui me protégeait, me comprenait, justifiait mes écarts. Elle rendait romanesques et poétiques mes frasques scolaires. Elle était le trait d'union entre mon père et moi, mon Zola féminin. Nettina a vécu comme une étoile filante, le crabe me l'a prise. Lorsqu'elle a quitté la maison, j'ai eu l'impression qu'elle me passait à travers, me rendait une dernière visite, laissant en moi son empreinte sous la forme d'une flamme bleue qui ne s'est jamais éteinte.

L'idée même d'un manque de chance ne m'a jamais effleuré. Ça n'a jamais été un dû, mais un fait. Malgré des choix plus que discutables, des décisions prises à la va-vite et une inconscience interprétée comme du culot, j'ai toujours approché la ligne blanche, mais franchi les obstacles sans casse. Les décisions idiotes sont du toupet lorsqu'elles aboutissent à quelque chose et de la bêtise quand elles mènent au désastre. L'audace est acceptée lorsqu'elle est couronnée de succès, décriée si l'échec est au bout. Pourtant, à la base, l'acte est identique. En trente-cinq ans, j'ai eu le temps de frôler les limites, d'être à quelques centimètres de la sortie de route.

Si tous les êtres naissent égaux, alors pourquoi certains passent-ils leurs vacances en Toscane avec Nicolas Bouvier et le meilleur spécialiste anglais de Rabelais, et d'autres au camping de Palézieux avec Henri, l'aîné de la famille qui n'a jamais trouvé à se marier et qui n'ose toujours pas s'avouer son attirance pour les petits garçons ?

Mon père venait d'une famille nombreuse et modeste, ma mère d'une famille que je n'ai jamais comprise.

Lors des nonante ans de ma grand-mère paternelle, j'ai pris en pleine figure la pyramide des générations. Il y avait ma grand-mère et ses contemporains, la génération de mon père et de mes oncles, la mienne, avec mes frères et mes cousins, et mes deux enfants, seuls représentants de la quatrième génération.

Ma grand-mère a vécu deux guerres et élevé cinq enfants, quatre garçons et une fille, ma tante. La génération de mon père fut éduquée avec l'idée que certaines horreurs ne devraient plus se reproduire, que certains idéaux valaient la peine de mourir. Ils ont cru que le progrès technologique et social servirait l'humanité et que le savoir ferait qu'on ne verrait plus jamais des horreurs comme celles de 39-45. Paradoxalement, ma génération a tout reçu, le meilleur en oubliant le pire. Le progrès, en oubliant qu'il y a toujours un risque, au mieux un prix à payer. Les acquis sociaux, sans savoir d'où ils viennent et qui est mort pour les obtenir. Des droits, sans aucune idée des devoirs attenants. Ma génération n'ayant rien à offrir à ses enfants, le manque a été remplacé par des consoles de jeux, des mobiles, des ordinateurs et la certitude que tout est biaisé, bancal et inutile. Une génération qui utilise des ordinateurs en ne sachant pas que, dix ans auparavant, ces derniers avaient la taille d'un immeuble, n'a aucune chance de voir les déviances possibles de la technologie.

Une des autres qualités de la douleur est qu'elle oblige, soit à se regarder le nombril, soit à se tourner vers celui des autres. Dans les deux cas, c'est un tout. Vers soi, le reste du monde n'existe plus ; vers les autres, on perçoit ce qui, en temps normal, nous serait passé au-dessus de la tête. Tant qu'à s'oublier, autant se concentrer sur un autre et ne rien manquer. Comme je ne suis plus là, aucun de mes repères ne fonctionne. Je suis comme un enfant qui aurait déjà passé quarante ans sur Terre, mais n'en aurait tiré aucune leçon. La violence avec laquelle certaines réalités me claquent au visage me laisse perplexe sur la façon dont j'ai vécu les années d'avant la douleur. Petits mensonges, demi-vérités, toutes ces petites choses dites dans le dessein de ne pas me faire mal ou de me ménager. Soudain, tout sonne faux, comme un accord dissonant dans une fugue de Bach. Ce que j'aimerais croire vrai et que je prends pour acquis me saute à la figure lorsque je m'y attends le moins : les sourires complaisants, ce qui est dit pour ne pas en rajouter car celui qui souffre a droit à la pitié. Toutes ces choses que la morale impose et qui ne sont que laque ou peinture sur des boiseries pourries, rongées par le temps, prêtes à s'effondrer, mais qui restent debout grâce aux couches qui maintiennent le tout. On ne me voit plus que comme un malade, auquel on donne des droits, même celui de se comporter comme le dernier des salauds. La souffrance est un lot d'indulgences papales.

Ma femme me dit « je t'aime », je voudrais le croire, le vivre encore. Il me saute à la figure que ce n'est que de la tendresse, une impression fausse qu'elle croit vraie, des mots qui n'engagent à rien puisque la phrase n'est plus au présent. Dans le pire des cas, elle se sera trompée ; dans le meilleur, la mort donnera à ces instants volés une couleur unique, des instants d'éternité que l'habitude et le quotidien n'auront pas entachés. La claque que je prends me ramène sur terre et me rappelle que quoi que l'on fasse, on est seul, qu'il y aura toujours un autre, un être rêvé, construit depuis l'enfance et recherché en vain. Très peu arrivent à le laisser sortir. Ceux qui restent dans les livres d'histoire ont libéré le petit lutin qui les accompagnait depuis l'enfance. Les autres l'ont brimé, au mieux enseveli.

À ne plus savoir quoi faire de sa vie, autant essayer de donner le meilleur de soi-même à ses enfants, même si, pour le cadet d'une fratrie de trois garçons, l'éducation d'une fille est aussi compliquée que la broderie pour un boxeur. La magie d'être père tient plutôt de l'alchimie. On rencontre l'autre et l'on décide d'être trois. Celui qui vient a soit la chance de posséder les qualités aimées de l'autre et les siennes, soit un mélange de ce que l'on n'aime ni chez soi ni chez l'autre. Cette alchimie fait qu'il n'y a pas d'équité entre les enfants, déjà à cet instant tout est une question de chance. Ma bonne fortune, je ne l'ai mesurée qu'en devenant père, en comprenant que j'avais été le favori.

Aujourd'hui je me pose la question de ce qui a fait que j'ai voulu être père. Je regarde le sol en linoléum vert et je cherche. Je fouille en moi pour essayer de me convaincre que la situation actuelle n'est pas due aux mauvaises raisons qui m'ont fait devenir père. Je n'ai aucune réponse. Je le suis devenu comme j'ai vécu : de façon pulsionnelle et en y réfléchissant ensuite. Tout le reste a suivi. Une mauvaise raison que j'ai accommodée avec ma conscience. La suite n'a été qu'une longue succession de compromis pour que je ne puisse jamais me prendre en défaut et surtout avoir l'impression de rester maître de mon destin. En regardant la chambre, le lit, le lavabo, je tente de trouver comment il faut se comporter. Il y a des milliers de phrases que j'ai entendues des millions de fois prononcées par des personnes qui n'ont pas vécu cette situation. J'ai essayé d'utiliser mon imagination comme tout un chacun, pour savoir ce que l'on doit faire lorsque le pire est atteint. Je ne sais même pas si c'est le pire, on me l'a appris, dit ou fait croire. En fait je n'en sais rien. Personne ne sait et ne veut le savoir. Ces questions m'ont obsédé ; même avec mon canon dans la bouche, je n'ai pas trouvé la réponse.

Un mercredi soir, j'ai éprouvé une certaine appréhension. Certains appelleraient cela un pressentiment. Je ne suis même pas convaincu que j'ai réellement senti arriver le coup. Le téléphone a sonné et une voix d'homme m'a demandé si je savais à qui appartenait le numéro qui s'affichait. C'était celui de mon fils. La voix s'est présentée comme étant un policier. Il m'a dit de venir le plus vite possible sur la route qui passe devant la maison pour reconnaître un jeune homme accidenté.

Quand je suis sorti, le champ d'à côté ressemblait à un studio de cinéma. Hélicoptère, ambulances et policiers. J'ai tout de suite reconnu le vélo qui ne ressemblait plus à un vélo. Un policier m'a accompagné vers l'hélicoptère. Durant les quelques mètres qui me séparaient du corps inanimé qui gisait dans l'appareil, j'ai tenté de trouver l'attitude juste, pensé que ma fille et ma femme étaient derrière moi, que de toute manière je ne sentais pas la présence de mon fils et donc qu'il ne pouvait être dans l'hélico rouge. André était couché sur un brancard, sanglé et entouré de tubes. J'ai regardé longtemps, en silence, pour me convaincre que ce que je voyais était une vue de mon esprit. Je n'ai pas entendu la question du policier, mais j'ai confirmé que c'était André et j'ai frappé l'hélicoptère. Le pilote m'a demandé sèchement de me calmer. Le ton professionnel m'a fait l'effet d'une douche glacée. L'appareil s'est envolé rapidement et j'ai répondu comme un automate aux questions d'usage. De l'autre côté de la route, derrière une voiture cabossée, le conducteur et sa passagère.

Pour assouvir mon fantasme, j'aurais dû traverser la route et le tuer. Je n'avais pas la moindre idée de ce qui s'était passé. Je voulais faire mal. Une ambulance a emmené ma femme et ma fille sans tarder. Une dépanneuse a fait de même avec la voiture et ses occupants. Je suis revenu à pied jusqu'à ma propre voiture et j'ai roulé vers l'hôpital. Durant le trajet, j'ai essayé d'imaginer toutes les possibilités. Sauf que le Scénariste de l'existence n'avait pas la moindre limite, alors que, pour moi, au-dessus de lui, un éditeur est censé lui dire ce qui est plausible et ce qui ne l'est pas.

Aux urgences, on m'a conduit aux soins intensifs. J'y ai retrouvé ma femme et ma fille devant une porte restée close. Une demi-heure plus tard, nous n'en savions pas davantage. Entre-temps, ma famille était arrivée et occupait toute la salle d'attente. Mon père gérait ses angoisses, ma mère s'accrochait à des certitudes et à des banalités, tandis qu'à son habitude, mon frère aîné se taisait. Je cherchais des bribes d'information dans les yeux de ma femme, certain qu'elle devait pouvoir interpréter les signes ou plus exactement l'absence de signes en provenance des médecins. Au bout de plusieurs heures, on s'est retrouvés dans une salle où un médecin a fait des phrases pour faire des phrases, du style : « La situation est grave, mais stabilisée. » « Le patient est jeune, il faut attendre. » « Nous avons bon espoir. » Le genre de sorties qui ne veulent rien dire et qui sont bonnes pour toutes les situations. Rentré tard, je trouve le sommeil difficilement.

Je me rends à l'hôpital le lendemain et on me laisse entrer aux soins intensifs seulement quand je menace la secrétaire de fracasser son bureau et de finir par la violer. J'ai fait ce qu'il fallait pour qu'elle puisse transgresser les ordres. Elle n'a pas eu peur une seconde, mais je lui ai donné un motif pour se couvrir au cas où quelqu'un lui reprocherait ma présence. Mon fils est entouré de machines et d'écrans. Deux ou trois médecins passent, répètent des gestes mécaniques et notent des impressions sur une feuille de papier, laquelle est refilée à un infirmier pour être saisie sur ordinateur. Personne ne m'adresse la parole. Je regarde André qui semble dormir. Il n'a aucune blessure visible de l'extérieur. Je lui parle. Je lui fais part de mes certitudes quant à sa guérison. J'ai le ton de celui qui ne doute pas une seconde.

Le lendemain, une infirmière accompagne la copine d'André. Une ado de son âge que je n'ai jamais réussi à comprendre. Elle s'approche et reste au pied du lit. Je tiens la main d'André et je continue de murmurer à son oreille, convaincu que, comme dans les films, il va ouvrir les yeux et me dire que tout va bien, que je me fais du mauvais sang pour rien. Soudain il bouge, comme secoué par des cordes invisibles qui le manipuleraient. Le bruit qui suit m'ôte toute espérance. La petite amie d'André s'est évanouie et s'est écroulée sur les machines, entraînant tout avec elle, ce qui le fait bouger comme un pantin. Les médecins se précipitent sur elle, d'autres rebranchent André. J'essaye de me coller quelque part pour ne pas déranger. Un des médecins présents, qui a visiblement plus de bouteille, donne de la voix et ordonne d'interdire l'accès à toute personne qui n'est pas un parent proche. Une infirmière me demande de sortir. Les mots « c'est mon fils » ou « je suis son père » me restent au fond de la gorge.

Je rejoins l'adolescente qui pleure dans les bras de sa mère. Je ne trouve rien à lui dire. Ma main effleure son épaule. Je n'arrive même pas à me souvenir de son prénom. En rentrant, je ne dépasse pas la limitation de vitesse et je ne réponds pas au téléphone. Les conducteurs qui me doublent me pousseraient s'ils le pouvaient. Comme je n'ai pas envie de répondre aux questions de ma fille ou au téléphone qui n'arrête pas de sonner depuis la parution de la nouvelle dans les journaux, je m'enferme dans mon studio d'enregistrement. J'allume la table de mixage et je prends le grand « Chapman Stick ». Les sons graves me calment. Avec trois notes, je pose une ligne de basse, longue et répétitive. Au fur et à mesure que les minutes s'écoulent, j'appuie les notes, je rentre dans le tempo et je laisse mon cœur faire le métronome. Quand je suis dedans, j'active l'enregistrement. Au bout de vingt minutes, je n'en peux plus. Je remets la bande à zéro et je change d'instrument. Un autre « stick » plus petit, avec un son plus sec. Je le passe dans un multi-effet et je cherche le son qui s'approche le plus de ma tristesse. Il faut de la distorsion, un son qui hurle, quelque chose d'hystérique. Depuis tout petit, je ne mémorise que des sons. Chaque moment de ma vie est lié à de la musique, les bons comme les mauvais. Il suffit que je me remémore une musique pour revivre certaines scènes de mon existence. Lorsque ma femme me demande de baisser le volume, je me rends compte que cela fait douze heures que je joue, seul, pour m'éviter de penser et surtout de confronter mes angoisses à celles de mes proches.

La nuit, je regarde le conducteur de la voiture dans les yeux. Il pleure. Je ne ressens rien. Le froid du métal me surprend. J'ai un pistolet dans la main droite. J'arme et tends le pistolet en direction du conducteur qui me supplie. Je n'entends pas ses sanglots. Je fais feu deux fois. Le bruit me sonne un peu. Le conducteur est secoué par l'impact des balles. L'odeur me surprend. Je l'ai certainement touché au ventre. Je le regarde et je fais un pas en avant pour lui mettre une balle dans la tête. Je vois un animal passer juste au-dessus de moi, un chat. Je baisse les yeux, le corps n'est plus là. Je me réveille d'un coup, en sueur, un goût de vomi dans la bouche. La sonnerie du téléphone me vrille les oreilles. Je sors de mon lit trempé et je me précipite sur le flacon de morphine. La douleur est fulgurante. Je devais être sacrément sonné pour ne me réveiller qu'à son acmé. À ce stade, je sais déjà que je n'arriverai pas à la contrôler. Elle va accaparer toute mon attention et je vais devoir garder la morphine à portée de la main. Je vais passer la journée à la limite de l'évanouissement. Ma femme répond au téléphone. Je comprends trois mots sur cinq. Lorsqu'elle raccroche, je vois qu'elle essaye de reprendre le contrôle. Le temps m'a appris qu'il ne faut pas lui poser de question à ces instants, mais attendre qu'elle décide de parler. Elle a une maîtrise d'elle-même qui fait peur à nombre de mes amis et qui en fascine d'autres. J'ai toujours admiré son sang-froid et sa capacité à encaisser les coups. Durant toutes ces années, je l'ai même parfois trouvée inhumaine.

– C'était l'hôpital. L'hématome ne réagit pas aux médicaments. Son état s'est dégradé pendant la nuit.

– Il faut qu'on y aille ?

– Non. Ça ne sert à rien. Ils nous appellent s'il y a quoi que ce soit de nouveau. Pour le moment il faut attendre. On ne va pas envahir le service et je te rappelle que ta famille va se pointer.

– Aujourd'hui ?

– C'est toi qui as proposé à ton frère de venir et tes parents ont dit qu'ils viendraient aussi. Tu t'occupes de ta mère, je ne suis pas d'humeur !

– Moi ? Je les ai invités ? Putain, ça m'est sorti de la tête. J'ai invité Nicola, mais pas mes parents !

– Si, tu l'as fait. Tu as mal ?

– Pourquoi ?

– Tu as une sale gueule.

– Ah !

– Tu as mal ?
– Oui.

Après avoir fait trois fois le tour de la cuisine et bu une dizaine de cafés, je me rends compte que j'énerve ma femme et ma fille. J'ai presque terminé un flacon de morphine et j'ai encore mal. Je passe du lit à la cafetière, des toilettes au lit. En début d'après-midi, pour fuir le téléphone et le portable, je descends dans le studio et je colle un « stick » en carbone dans l'ampli Marshall. Le volume excessif me protège du reste du monde. Je lance la table de mixage et je mets en boucle le morceau enregistré la veille. Durant des heures, je couvre les bruits extérieurs. Le temps s'écoule rapidement, la morphine aussi. Je ne sens que mes doigts. Le son se mélange à la douleur. Au bout de vingt minutes, je peux invectiver le monde sans émettre un son. Le « stick » hurle. À sa place je n'aurais plus de cordes vocales.

Mon grand frère entre dans le studio et, rien qu'à sa moue, je comprends que le dernier appel provenait de l'hôpital. Sans entendre sa voix, je comprends qu'il faut y aller et que mon fils va mal. Les larmes qui coulent sur mes joues ne font aucun bruit, le son du « stick » devient une jérémiade de gosse, des sons d'animaux. Les rares moments où l'instrument exprime une émotion sans être lié aux règles de l'harmonie. Je passe d'un instrument de musique au volant d'une voiture. Ma femme appelle un de ses collègues. Un des rares hommes en qui elle a confiance. Elle sait, car dans son domaine elle fait partie des meilleurs, mais elle remet en question sa capacité à prendre la bonne décision. Je ne mesure la gravité de la situation qu'en fonction de l'état d'angoisse de ma femme. À l'hôpital, je ne comprends rien à ce que dit le toubib qui s'échine à utiliser des termes compliqués, inaccessibles au commun des mortels. Je raccroche à la discussion lorsque les mots émis par ma femme ont un sens pour moi. Je me repasse les phrases pour être certain que les mots que j'ai entendus sont ceux de la mère de mon fils.

– Si les lésions cérébrales entraînaient des handicaps moteurs ou un état végétatif, je veux que vous le laissiez partir.

Durant quelques secondes je passe en revue les lieux où mon fils pourrait aller sans moi. Elle se retourne pour me demander si je suis d'accord – par pure politesse. Tout cela est tellement ahurissant que j'acquiesce de la tête pour faire comme si je comprenais. Les deux médecins présents n'ont pas l'air du même avis. Le plus âgé est chirurgien, l'autre n'a pas indiqué sa spécialité. Le chirurgien explique que le temps joue contre nous et qu'il faudrait l'opérer, de façon à mettre un maximum de chances de son côté. Opérer permettrait de voir si le cerveau présente des lésions, et si c'est le cas, de décider ce qu'il convient de faire. L'autre médecin avait proposé une ablation d'une partie du cerveau, ce que ma femme avait refusé instantanément. Quatre heures plus tard, une infirmière nous indique qu'André va être transféré dans une chambre, en neurologie. Le chirurgien nous rejoint et explique que le cerveau reste un mystère, qu'il faut attendre et ne pas perdre espoir, que mon fils est jeune et qu'il a une constitution robuste. Le neurologue qui l'accompagne scrute ses lacets comme pour y trouver un défaut ; il porte des mocassins.

Le lendemain, mon frère arrive à l'improviste chez moi avec mes deux oncles venus de Naples par avion. L'aîné de mes frères a transgressé les ordres paternels qui étaient de ne rien dire à la famille italienne pour ne pas les inquiéter. Durant la première demi-heure, mon père se prend un sermon calme et pondéré de la part de son frère cadet. L'utilisation du napolitain ne me permet pas de comprendre toutes les subtilités du discours, mais en gros, il lui reproche de préjuger de leurs réactions. C'est la technique que mon père a utilisée depuis ma naissance. Le choix de ce que je devais savoir et de ce que je devais ignorer. Dès que j'ai été en âge de comprendre que le monde n'était pas un lieu merveilleux et que l'homme n'était pas, par nature, bon, je l'ai tenu pour responsable de tous les vices humains. Des perversions et de tout ce qui fait la partie noire de l'individu. Le fait qu'il me l'ait caché le rendait coupable, comme si ne pas m'en avoir parlé en faisait un complice des perversions humaines. Il en était coupable.

Je ne lui ai adressé de nouveau la parole qu'à la naissance d'André, considérant que le gosse avait le droit d'avoir un grand-père. Sans cette naissance, j'aurais continué à ne pas lui parler.

Le soir, un de mes oncles se met aux fourneaux et montre à ma femme comment on fait les pâtes en Italie, c'est-à-dire au sud de Rome. Durant quelques heures, des rires et des souvenirs prennent la place de l'angoisse et de la peur.

Ils repartent trois jours plus tard, après avoir vu André couché, les yeux ouverts, la plupart du temps avec des coques en plastique pour éviter le dessèchement. Je crois qu'un de mes oncles, le médecin, a prié au bord du lit. L'autre est resté sans rien dire, regardant le délabrement des chambres, secouant parfois la tête pour chasser l'idée saugrenue que les Genevois auraient acheté le vieil hôpital de Naples. La fenêtre pratiquée sur la boîte crânienne de mon fils doit faire un bon tiers du crâne. Juste au-dessus des yeux qui restent obstinément ouverts, il n'y a plus de front. Durant l'intervention, ils lui ont fait une trachéotomie pour des raisons pratiques.

La plaie ne se referme pas, car il a attrapé un M.R.S.A, une des fameuses maladies nosocomiales qui sont sur toutes les affiches de l'hôpital.

À l'isolement, il faut enfiler une combinaison de cosmonaute pour entrer dans la salle. En temps normal, une infirmière surveille les allées et venues. Un des nombreux panneaux accrochés à la porte interdit l'accès aux visiteurs sans l'aval des infirmières. Au bout de quelques jours, je ne demande plus rien à personne et je passe la tenue seul, d'autant plus que certaines infirmières entrent et sortent sans la moindre protection. Mon fils ne risque rien, mais les autres patients peuvent être contaminés ; je ne me balade pas dans d'autres chambres. Je décide seul des mesures d'hygiène à m'appliquer et un peu de bon sens suffit.

Ce samedi, après dix jours dans le service de neurologie, sans avoir vu le moindre médecin ni obtenu la moindre réponse à mes questions, je trouve un ami de la famille couché en travers du lit, évanoui, en tenue de ville. Il ne se souvient plus depuis combien de temps il est inconscient. La bouteille de glucose qui alimente mon fils est explosée par terre et André est aux trois quarts hors du lit. Je sonne l'infirmière et me rends compte que la sonnette n'est pas branchée. Au bout de vingt minutes, j'obtiens de l'aide pour le remettre au lit et lui reposer une voie pour y faire repasser le liquide. Chaque contact lui arrache un râle guttural. Lorsque je demande à l'infirmière, qui doit avoir une petite vingtaine d'années, si André souffre, elle éclate en sanglots et hurle :

– Bien sûr qu'il a mal, mais personne ne m'a laissé d'ordre pour le « sédater ».

Non seulement le mot n'est pas dans le dictionnaire, mais je peux déduire de ces propos qu'il faut être fou pour se retrouver durant les fêtes de fin d'année dans un service de neurologie. Sur les six infirmières normalement présentes, deux sont en vacances, trois en formation deux étages plus bas et celle-ci effectue un remplacement. Hier encore, elle était au service des plâtres, en pédiatrie. L'ami s'en va. Je calme l'infirmière et l'aide à faire la toilette de mon fils qui doit largement atteindre les quatre-vingts kilos de muscles. Pour un adolescent de seize ans, il a une force musculaire invraisemblable et une droite à décorner les cocus. Je connais sa résistance à la douleur et si certains mouvements lui tirent des râles, n'importe qui hurlerait à sa place. Je prie l'infirmière de me laisser seul quelques minutes et lui promets que je peux faire en sorte qu'il se calme. Elle sort en marmonnant :

– Ils auraient pu laisser des consignes pour la douleur. Ce n'est pas possible de laisser quelqu'un souffrir de la sorte.

J'appelle mon médecin chez lui pour lui demander conseil. Je n'ai jamais osé le faire lorsque ça me concernait. Il m'écoute longuement et me fait répéter plusieurs fois certaines données.

La seule chose que me propose l'infirmière est du paracétamol. Je prends les deux pilules, que j'avale, elles pourront toujours calmer mon mal de tête. De toute manière, je ne vois pas bien comment elle aurait mis deux pilules dans une perfusion.

– Tu vois le tube qui lui entre dans la gorge ? Celui qui passe par le nez ? Suis-le. À un moment tu dois trouver un Y. Prends une seringue de morphine, ne dépasse pas les trente millilitres. Dévisse le petit bouchon. Mets la seringue dans le trou et pousse le sirop de morphine d'un coup. Rebouche. Attends une vingtaine de minutes. Surveille les pulsations cardiaques. Écoute la respiration. S'il respire comme un petit chien, c'est qu'il souffre. Si rien ne change, renvoie trente millilitres. Maximum trois fois. Appelle-moi si tu as le moindre doute. Je vais voir s'il y a un médecin de garde que je connaisse dans cette boîte de dingues.

La première dose de morphine fait effet. Il reprend une couleur normale et respire tranquillement. Pour un peu on dirait qu'il dort. Les yeux sont toujours ouverts, mais il a l'air calme. Je lui parle, je chante, j'essaye même de prier, convaincu que, comme dans les films, il va me parler et me dire que tout va bien. La vie ne dure pas une centaine de minutes et je rentre chez moi douze heures plus tard, laissant mon fils comme je l'ai trouvé, sans avoir vu un médecin, dérangé une seule fois par une infirmière qui est passée changer la bouteille d'eau.

Dans les couloirs, la lumière est crépusculaire. On se croirait dans un bâtiment de l'ex-Allemagne de l'Est. Sauf que dehors, c'est Genève et ses banques. Pour que je ne l'oublie pas, j'ai un p.-v. Je reste un moment la tête dans le volant jusqu'à ce qu'un automobiliste me sorte de mes pensées à coups de klaxon pour prendre ma place. Cet homme-là n'a jamais su à quel point il est passé près d'une réfection complète de son portrait. Au bout de douze heures, je rentre chez moi sans avoir rien à dire, sans aucune nouvelle à donner et, par dépit, je débranche le portable et les appareils téléphoniques de la maison. Alors qu'on a certainement les meilleurs outils pour communiquer, la plupart des gens se cachent derrière pour éviter le contact direct. Rien de plus facile que de ne pas s'impliquer derrière un texto. Par contre, répondre à une question sur l'état de santé de mon fils, qui a eu droit à une page dans le journal local, dépasse un peu les possibilités du téléphone portable.

Le sommeil et la morphine, le mélange de médicaments à haute dose sont les seuls recours pour rester dans mon lit en attendant de pouvoir retourner à l'hôpital voir mon fils. L'idée qu'il se réveille et parle à quelqu'un d'autre que moi m'est insupportable. Passablement désinhibé, je me rends compte que je ne considère pas André seulement comme mon fils, mais comme le prolongement de moi-même, mon immortalité.

J'ai l'impression de ne plus contrôler la situation et j'en veux à tout le monde. Les médecins sont absolument invisibles. Je leur en veux, alors la mère de mon fils prend à leur place. Bien qu'elle n'en sache pas plus que moi, elle encaisse toutes les critiques sur la façon de communiquer du corps médical. Outre l'impression de désarroi, le manque physique de contact avec mon fils devient insupportable. J'ai toujours eu besoin de le toucher, de le mordre, lorsqu'il était gosse et la plus grande partie de nos rapports étaient des rapports physiques, peau contre peau. Je n'ai jamais eu ce type de relation avec ma fille, certainement à cause de la peur, que j'ai ressentie très vite, qu'elle puisse trouver une connotation sexuelle dans un geste ou un autre. J'ai cessé de la toucher dès qu'elle n'a plus ressemblé à un bambin. L'envie a perduré, mais mon incapacité à savoir ce que ressent une femme a été plus forte que le besoin de rapports fondés sur le contact. Des mains qui touchent, des têtes qui s'entrechoquent. Avec André, même les conflits nous les réglions avec les poings. Lorsque je n'ai plus trouvé nécessaire de contrôler la puissance de mes gestes et qu'il a été en mesure de me soulever du sol avec une droite fulgurante, j'ai acheté des gants de boxe, et dès que nous étions en désaccord, cela se disputait en trois reprises. Alors que l'expérience me permettait de le tenir à distance et d'éviter les coups, je pouvais réfléchir et décider si je lui concédais la victoire ou si je maintenais ma position.

Sous mon édredon, je me repasse en boucle tous les souvenirs que j'ai avec mon fils. Dès que je dois sortir du lit, son absence est insupportable. Les rapports avec sa sœur sont impossibles. La plupart du temps, André me suppléait et la punissait hors de ma vue. En ma présence il se mettait systématiquement de son côté et me contrait. Elle avait un garde du corps et pouvait se mouvoir dans un cadre connu. Hors de la maison, elle était surveillée par son grand frère qui la protégeait contre les petits caïds de l'école. Durant des années, j'ai interdit à mon fils de se battre avec ses camarades, reproduisant ainsi le modèle paternel. Il devait aller parler aux professeurs et les laisser régler les situations.

Dire à un enfant que la violence ne résout rien fait joli dans le décor, même si la réalité démontre le contraire. Le jour où j'ai eu une fin de non-recevoir de la part du directeur concernant des attaques à répétition dans le préau de l'école, j'ai annoncé aux enseignants que dorénavant je donnais l'ordre à André de se défendre et que je n'accepterais plus qu'il se fasse battre par qui que ce soit. La semaine suivante, il démolit à la loyale un élève plus âgé que lui. Le directeur m'avait appelé pour me dire que le règlement l'obligeait à me signaler que mon fils avait frappé, en état de légitime défense, un autre élève, et que ce dernier avait fini à l'hôpital. Je n'eus même pas le temps de le questionner sur la gravité des blessures que le directeur me demandait de ne pas punir André, car il attendait depuis plus de trois ans que cet élève se fasse démolir et savourait cet instant. Je ne devais pas me préoccuper des parents à qui il ferait comprendre que s'ils osaient porter plainte, il témoignerait que leur fils avait déjà eu une dizaine d'avertissements et qu'André n'avait pas eu le choix. Le mélange d'incompréhension et de fierté ne m'avait pas permis de mesurer à quel point la tranquillité de ma fille dépendait de la peur qu'inspirait son frère aux petits caïds. Seule, elle devait acheter cette tranquillité. Je ne pouvais rien pour elle. Je ne comprenais rien au monde dans lequel elle devait évoluer.

Je suis le fils d'une génération de parents qui a essayé de donner des principes à ses enfants, lesquels n'ont pas été capables de les transmettre à leur tour à une génération qui, en plus du sida, doit s'appuyer un millénarisme visqueux. En lieu et place d'utopies et de croyances, nous leur avons fourgué de la technologie qu'ils ne font qu'utiliser pour construire leurs propres prisons. Je n'ai pas fait exception à la règle.

Ce que j'ai pu donner à mon fils, j'ai le temps de le mesurer en le regardant couché sur un lit, les yeux ouverts sur le vide. Je me rends compte que tout ce que j'aime chez cet enfant vient de lui et que je ne lui ai pas donné grand-chose. L'instinct qui le meut me rend fier et lui, il le suit.

Je n'oublierai jamais qu'au bout de deux ans de maladie, lorsque la morphine n'était pas mon alliée, je ne supportais plus la douleur dans ma main droite. Je m'accrochais depuis des heures, mais la douleur ne cédait pas. La télévision faisait de la téloche et j'étais certain d'être seul. Lorsque je cherchai à mettre en route la scie circulaire plongeante pour me couper cette main qui faisait si mal, André sectionna le fil électrique avec une hache. Tremblant de stupeur devant cette roue dentée qui s'arrêtait lamentablement en m'écorchant à peine la peau, je mis plusieurs minutes à comprendre ce qu'il me disait :

– Il y a sûrement une autre méthode !

Pas de morale, pas de phrases en trop ; contrairement à lui, j'aurais certainement fait un long laïus et sorti quelques tirades bien senties, inutiles.

Pour une fois, je partis plus tôt. Clinga m'avait appelé. Elle avait probablement appris l'accident d'André, mais ne m'en avait pas parlé au téléphone. J'avais rencontré cette femme en 95. Elle fut d'abord une voix. Une voix dans une émission de radio, un humour cinglant et la capacité de décocher les pires flèches sans que personne ne s'en offusque. Au bout de quelques mois, j'attendais l'émission tous les midi et rageais lorsque Clinga n'était pas de service. J'attendais ses chroniques et fermais les yeux pendant qu'elle parlait. Lorsque j'eus l'occasion de participer à ce programme, je ravalai en catastrophe mon refus et posai la condition de sa présence. Cela se fit sans problème et comme l'enregistrement avait lieu à cent cinquante kilomètres de Genève, je me proposai comme taxi puisque nous venions de la même ville. J'avais rendez-vous avec Clinga devant la gare. J'y étais une heure à l'avance pour être certain de ne pas la manquer. Elle fut ponctuelle et fit comme si elle me connaissait. L'heure et demie de route fut un vrai bonheur. Elle était magnifique. Elle était aussi belle que sa voix, effilée, pointue, acerbe sans jamais être méchante. Clinga utilisait le malheur et la tristesse pour en tirer des larmes de rire. Les situations les plus dramatiques devenaient des longs fous rires, des moments tendres. Elle m'écoutait parler et riait à mes mauvaises blagues. Pour ne pas rester sur le banc de touche où je m'étais assis, je décidai, après vingt kilomètres, de lui parler franchement des raisons pour lesquelles j'avais accepté de participer à cette émission. Le simple fait de passer un moment seul avec elle compensait largement ma trouille des médias. Elle rit, changea de ton et me posa des tas de questions. Nous devînmes rapidement amis. Je sus tout de suite qu'elle serait une femme qui compterait dans ma vie, comme j'avais été certain, en moins d'une heure, que je pourrais vivre longtemps avec la mère de mes enfants.

Aujourd'hui, elle me parle de bonheur, du fait qu'elle est amoureuse comme jamais elle ne l'a été, qu'elle est prête à le suivre au bout du monde, à mettre sa vie en danger pourvu qu'elle reste dans cet état d'amour qui la rend encore plus belle. J'avais écrit pour elle quelques chansons que nous avions enregistrées, quatre ou cinq ans auparavant. Une des chansons parlait d'un roi déchu et bafoué. La musique passait en boucle dans ma tête et je n'arrivais pas à me concentrer sur ce qu'elle disait. Elle était hors d'elle, presque dans un état de folie. Si elle n'avait pas parlé d'amour, je crois que je me serais inquiété pour elle. Clinga parle de cet homme et j'entends de la musique. Elle passe d'elle à moi comme pour que son bonheur absorbe un peu de ma tristesse. Clinga a toujours fonctionné ainsi. Inutile de faire de la psychanalyse pour savoir que son enfance a été un maelström où tendresse et affection ont fait partie des mots bannis. C'est la seule femme que je connaisse qui n'ait pas de cuir. Une femme sans peau. Elle n'a simplement pas la capacité de se protéger des sentiments et des ressentis d'autrui. Ils la traversent sans demander l'autorisation. Elle est comme une boutique où tout le monde se servirait sans payer. Cela l'a rendue vulnérable, triste, blessée et même malade, parfois. Une femme sans peau, sans cette paroi qui empêche qu'on se répande. Cette peau que l'on renforce, qu'on modifie à dessein, selon qui on a en face de soi. La peau que l'on épaissit au fil des années pour que les coups fassent moins mal, cette peau qui raconte tellement de choses sur le visage de certains et que l'époque conseille de cacher, de masquer. Clinga est unique. Elle accepte de tout prendre sur elle et de laisser les émotions, quelles qu'elles soient, la pénétrer, ricocher comme des sons sur les parois et la casser, et entailler son corps en ressortant. Elle me parle d'elle, de ce que, pour la première fois de sa vie, elle ressent. Et moi je sais déjà que son histoire d'amour va droit dans le mur. Aucun homme ne peut être aimé de la sorte. Les garçons ne sont pas éduqués pour recevoir un amour absolu et devenir la personne attendue depuis tant d'années. Ce ne sont pas les hommes qui attendent le baiser du prince charmant. Clinga a de l'expérience, de la culture et du vécu. Elle est parfaitement capable de savoir comment va se terminer cette histoire d'amour, mais elle laisse ses sentiments prendre le dessus. Elle va au bout des choses et au bout d'elle-même en sachant qu'elle aura mal et qu'elle ne pourra pas obtenir ce qu'elle attend. L'homme qu'elle aime n'a pas la largeur d'épaules pour la suivre, elle verra ses talons dans trois ans au maximum. Je le sais, mais je ne suis pas capable de le lui dire. Elle me parle de l'homme qu'elle aime, du risque qu'elle a pris en mettant un enfant au monde et je pense à mon fils couché sur un lit, le regard dans le vague. Je pense à ses yeux et j'entends la Sonate en si bémol majeur D960 de Schubert. L'*Allegro vivace con delicatezza* couvre la voix de Clinga. Je vois les yeux d'André, ouverts.

Clinga me parle d'un homme et j'ai envie de lui dire que je l'aime, comme elle est, et que je ne chercherais pas à la changer. Elle essaye de me remonter le moral, de trouver des mots pour me dire que quels que soient mes besoins, elle est là. Je savoure chaque moment avec elle. La voir me remplit de bonheur, même si j'appréhende le moment où elle percutera le mur. Je ne lui parle pas de ce que la musique me fait voir. L'adagio du Cinquième Concerto pour piano et orchestre de Beethoven par Giulini et Michelangeli me fait ressentir la différence de poids entre l'orchestre et le piano. L'homme est avec elle pour ce qu'elle fait, elle est avec lui pour ce qu'il est. C'est un conflit. L'éternelle histoire entre l'homme et Dieu, le soliste et l'orchestre. Le soliste ne peut s'échapper, l'orchestre est beaucoup trop puissant. Lorsque l'homme qu'elle aime aura compris qu'il ne la rejoindra jamais, il la quittera, sous de mauvais prétextes. Avant, il lui fera du mal et essayera d'en faire une autre personne, de lui passer dessus comme l'orchestre recouvre le soliste. Il la fera souffrir pour lui faire payer son incapacité à obtenir d'elle ce qu'il croyait qu'il obtiendrait en forçant la porte de son existence. Mais la partition est toujours la même et que le chef soit génial ou non, le soliste est toujours présent. C'est lui que la salle applaudit à la fin du concert.

Je retourne à l'hôpital et je parle de Clinga à mon fils. Je peux tout lui dire, les yeux dans les yeux. Il ne me juge pas. Dans le cas présent, il n'y a rien à juger. L'amour est le seul sentiment qu'heureusement on ne contrôle pas, qui n'a aucune logique. Un homme chanceux éprouve deux ou trois fois dans sa vie cette sensation de lame de fond qui l'emporte sans que la raison n'y puisse rien. Je ressens cette sensation et la cultive depuis longtemps. Je n'attends rien en retour, je me contente de l'aimer.

Une larme coule sur la joue d'André. Je n'ose plus toucher sa main. Pour empêcher que ses doigts entrent dans sa paume, une attelle en plâtre sert de tuteur. Il a perdu du poids. Il n'a plus de muscles. Je peux le porter sans problème. Il y a quelques mois encore, il était capable de me soulever et lorsque nous réglions nos différends avec des gants de boxe, seule mon allonge m'évitait d'être arraché au sol par des droites à la Mike Tyson. Sa force physique contrastait curieusement avec la douceur avec laquelle il prenait un animal dans ses mains. Si sa droite était capable de me faire décoller lorsque j'avais le malheur de la prendre dans le foie, il pouvait passer des heures à nourrir un oisillon tombé du nid avec un cure-dents. Maintenant, c'est moi qui le soulève. Il est rigide. C'est la préoccupation première des médecins. Ils ont essayé des dizaines de médicaments pour arrêter ces contractions. Il n'y a pas moyen de voir un seul représentant du corps médical. Deux réunions ont été reportées pour de plus ou moins bonnes raisons.

Les semaines passent et la situation n'évolue pas. Dès que ma femme a haussé le ton, mon fils a été changé de service pour se retrouver à un kilomètre de l'hôpital, dans un centre de rééducation. Il est pris en charge le jour de mon anniversaire et je ne sais pas si c'est un bon signe. J'essaye de le considérer comme un cadeau d'anniversaire. Il a sa propre chambre, juste à côté du bureau des infirmières. Pendant la première journée, je vois défiler tout ce que la médecine peut engendrer de paramédicaux. Du physio au neuropsy en passant par l'ergothérapeute, je ne sais plus qui fait quoi et qui est aux ordres de qui. Une infirmière qui a l'âge de la sagesse prend le temps d'essayer de me faire comprendre le but de ce service. Confort, contact et redécouverte de son corps. Cela sonne comme un slogan publicitaire, mais la voix de la dame est suave et les mots simples. Cela change de tout ce que j'ai entendu depuis presque deux mois et demi. Lorsque ma question devient un peu plus pointue, le personnel botte en touche et me renvoie au chef de clinique que je n'ai encore jamais vu et dont je ne sais ni le nom ni le sexe.

Deux semaines plus tard, je commence à douter.

À force de m'entendre dire qu'il m'expliquera, qu'il est la seule personne habilitée à donner les renseignements, j'en viens à le prendre pour le père Noël ou la petite souris. Les phrases deviennent vagues, les mots prudents et les regards fuyants. Comme si la musique bien rodée du service était enregistrée sur une bande qui ne passait plus correctement sur les têtes de lecture et ce, à l'ère du numérique.

L'heure au chevet d'André m'a assommé. Je ne crois plus que je reverrai mon fils tel qu'il était. Je me rends compte que je ne sais pas affronter une situation qui n'a pas de solution heureuse. Je n'ai jamais été confronté à une situation de laquelle je ne pouvais sortir vainqueur.

Je frôle les murs car je n'en peux plus de marcher sur le linoléum vert du centre de rééducation. Il y a des personnes qui errent dans le couloir. Je n'arrive pas à les regarder. Je n'entends pas la responsable administrative qui me hèle. Elle doit me prendre par le bras pour que je me rende compte que c'est à moi qu'elle s'adresse.

– Je dois vous parler de l'achat du fauteuil roulant. Vous pouvez venir avec moi dans mon bureau ?

Je l'écoute parler durant un quart d'heure. Le prix de deux roues de vélo avec trois tubes. Je ne comprends rien aux problèmes de sous que m'explique de long en large la comptable. Je reste coincé sur la somme d'argent que je n'ai pas et le fait qu'une chaise roulante coûte plus cher que ma voiture.

J'appelle la seule personne de mon assurance dont je connaisse le nom. Le genre de nom et de prénom qui conditionne une vie. Malgré un patronyme qui signifie « restant de pomme », elle m'écoute lui expliquer quelque chose que je ne comprends même pas et me laisse parler, répéter et lui transmettre toute mon angoisse. Lorsque je me rends compte que je me répète, je me tais. D'une voix douce elle synthétise ce que j'ai radoté.

– Je crois qu'il faut reprendre les choses dans l'ordre, monsieur. Je suis navrée pour votre fils. Vous devez vous en occuper et ne pas perdre de temps avec les considérations matérielles. Je vais vous envoyer une dizaine d'enveloppes libellées à notre adresse et je vous demande de me faire parvenir tous les papiers que vous recevrez sans les lire. Je me charge du reste et vous vous occupez de votre fils. Je crois que chacun a son rôle à jouer.

Je m'arrête sur le bas-côté pour attendre que les larmes qui me montent aux yeux sèchent et que je puisse voir la route.

– Je croyais que c'était l'assurance du conducteur qui devait payer, mais je n'ai toujours pas réussi à obtenir le nom de la compagnie.

– Ne vous inquiétez pas pour cela. J'aurai le nom de l'assurance dans les cinq minutes et je m'occupe du reste.

Il ne me reste qu'à la remercier et à raccrocher. Je n'ai aucune idée de la façon dont elle s'y prend pour obtenir une information que je n'ai pas eue en trois mois et je me demande ce que cela cache. Mes expériences avec les assurances font que je flaire une arnaque. Je n'arrive pas à imaginer que les compagnies d'assurances puissent ne pas agir comme des casinos.

Le lendemain, lorsque j'arrive au centre de rééducation, la responsable administrative m'attrape dans le couloir et m'assure que tout est en ordre, que je ne dois m'occuper de rien et qu'il n'était pas nécessaire de faire intervenir le service juridique de mon assurance et de déclencher tout ce barouf. La chaise roulante sera commandée immédiatement. Elle me prie de ne plus m'inquiéter pour les factures.

Son air affolé me confirme qu'elle a eu un coup de téléphone de Mme Trognon qui n'a pas utilisé sa voix douce et rassurante. Il y a donc des gens sincères dans les assurances. La chambre de mon fils est vide. Il est une nouvelle fois à l'hôpital. Personne n'est capable de me dire pourquoi il descend jusqu'à sept fois par jour à l'hôpital. Je demande à une infirmière où il est censé être et je m'y rends. Je me colle à la première ambulance qui entre et me retrouve dans le parking. Je laisse les médecins prendre en charge le patient et l'emporter. Il y a plusieurs accès depuis le parking et je ne sais pas où aller. C'est d'autant plus stupide que je ne sais même pas comment ressortir. Je me dirige vers la seule porte qui n'est pas marquée « Urgences ». Je l'ai à peine atteinte que je tombe sur mon fils, seul sur un brancard entre deux ambulances, dans le parking de l'hôpital. Je m'assieds à côté de lui et j'essaye de comprendre. Je téléphone au centre de rééducation et demande l'étage. La seule personne dont je connaisse le prénom.

J'apprécie l'utilisation intelligente des nouvelles technologies. Durant sept minutes, j'écoute une voix mécanique me proposer différentes options et, en fonction des possibilités, je dois appuyer sur un numéro du clavier. Je ne veux ni le service de facturation, ni le contentieux, ni la buanderie, encore moins le service des achats. Je veux le bureau des infirmières qui est juste à côté de la chambre 147 au premier étage. Il y a même le téléphone dans cette chambre et il est facturé tous les mois, comme la télévision. Le programme informatique ne permet pas de facturer une chambre sans le téléphone et la télévision. À la neuvième proposition, et alors qu'il ne me reste plus que le service de nettoyage et la cafétéria comme possibilités, je raccroche. J'appelle les renseignements et je demande la réception. On me passe la chambre 147, ça sonne. Ça sonne longtemps, d'ailleurs je ne vois pas qui pourrait bien répondre. J'adorerais qu'André réponde, mais il est à côté de moi. La réceptionniste me reprend au bout de deux minutes et me signifie que personne ne répond, au cas où je serais suffisamment idiot pour ne pas m'en être aperçu. Je lui demande le bureau des infirmières qui est juste à côté et en particulier une infirmière qui se prénomme Michèle. J'ai droit à une relecture du règlement sur les coups de téléphone d'ordre privé durant les heures de service. S'il y avait autre chose que leurs prénoms sur leurs badges et un code couleur, on pourrait respecter les règles élémentaires de politesse. La réceptionniste pense me faire une fleur en me passant le bureau des infirmières. Je reconnais la voix d'une des personnes qui s'occupent de mon fils, mais je n'ai aucune idée de son nom. Je lui explique que je suis dans le parking de l'hôpital et qu'André y est seul à côté des ambulances. Elle me met en attente et je l'entends essayer de joindre les ambulanciers. Elle n'y parvient pas et me demande d'aller voir si je ne les trouve pas dans la cafétéria et de la rappeler dès que je les aurai trouvés. Juste avant qu'elle ne raccroche, je lui réclame un numéro de téléphone où la joindre pour m'éviter le parcours du combattant. Manifestement les hôpitaux ne gagnent rien lorsqu'on les appelle, car elle me donne le numéro de son portable privé. Je trouve les deux ambulanciers en train de boire des bières avec leurs collègues. Lorsque je me présente, le plus jeune se lève et me fait remarquer que c'est de la bière sans alcool. Comme je n'ai aucune idée de ce que je dois leur dire et qu'ils ne savent quoi faire non plus, je rappelle l'infirmière. Je passe mon téléphone au chauffeur qui se fait visiblement remonter les bretelles. En se retournant, il bredouille quelques explications que je ne suis pas censé entendre. L'infirmière passe au registre vulgaire. Le chauffeur ne dit pas un mot et fait signe à son collègue de se lever. Je les suis et l'on retourne au parking. Je les aide à remettre mon fils dans l'ambulance. Au moment où elle démarre, le brancard, qui n'a pas été fixé, écrase le pied du brancardier. Je ne peux m'empêcher d'éprouver un plaisir sadique. De retour dans le service, l'infirmière leur passe un savon. Visiblement elle a oublié ma présence et ne se gêne pas pour employer des termes grossiers. Elle appelle deux de ses collègues pour remettre André au lit. Il est tendu comme un mât de bateau. Son visage est violet et lorsqu'elles le soulèvent du brancard, une larme descend le long de sa joue. J'ai mal au ventre. J'écraserais bien mon poing sur le visage de quelqu'un, juste pour me détendre.

La main d'André a pris une position impossible à imiter. Le majeur a déjà creusé la paume. Le bras est replié et tordu à l'envers. Je regarde vers le plafond lorsque les infirmières le changent. Il n'a plus que la peau et les os et tous les membres sont dans des positions anormales. Mes seules références sont les images de camps de concentration, en noir et blanc. Ici c'est du direct, insoutenable. À chaque mouvement qu'elles lui font faire, il émet un râle rauque. Ce son m'obsède toutes les nuits. Dès que quelqu'un le touche et qu'il réagit, une vague de rage m'envahit, mais je dois me taire. Mon fils est à la merci des personnes qui l'approchent. Je préférerais qu'il crie, qu'il hurle ou qu'il bouge. Il n'y a que ce son grave qui vient du fond de sa gorge et qui sort par la trachéotomie.

Le trou qu'il a dans l'abdomen est rebranché sur

la bouteille de bouillie. Avec un tissu éponge, une infirmière lui humidifie les lèvres. Plus rien ne passe par sa bouche. Il faut l'empêcher de se dessécher. Aucun liquide, car il risquerait de faire une fausse route. Une erreur d'aiguillage, comme me l'a expliqué l'ergothérapeute. Et ma femme qui prétendait que mes métaphores n'étaient pas compréhensibles par le corps médical lorsque j'expliquais que j'avais l'impression qu'un milliard de Chinois travaillaient au marteau-piqueur dans mes doigts.

Bordé dans des draps bleus qui masquent les tuyaux, le visage rafraîchi, il reprend un peu d'allure. Je reste encore un peu avec mon fils. Je fixe ses yeux. Je ne m'en lasse pas, alors que lui n'a d'autre choix que de m'avoir en face de lui. Je lui caresse doucement le front, puis je le laisse tranquille. Je reste encore un moment près de lui. Avant de partir, je le prends dans mes bras et le serre contre mon cœur comme quand il était petit. Je sais qu'il ne le supporte pas et qu'il en souffre, mais j'en ai besoin. Je le recouche dans la position déterminée par les infirmières et mets cinq minutes pour sortir de sa chambre. À chaque fois j'ai honte. J'ai l'impression de le laisser, de l'abandonner, de ne pas faire ce qu'il faut, sans savoir ce que je devrais faire. J'ai horreur d'entrer dans cet hôpital et j'ai honte d'en sortir.

Au rez-de-chaussée, je tourne en rond en regardant les boutiques, cherchant le courage de m'en aller.

Je vais chez le fleuriste de l'hôpital pour envoyer

des fleurs à la responsable de l'assurance. L'employé me demande ce que je désire et je me rends compte que, dans mon éducation, le langage des fleurs n'a jamais été abordé. Je lui donne un gros billet de banque et le laisse libre de choisir pour moi des fleurs destinées à une femme à qui je dois beaucoup.

Je reste dans le couloir jusqu'à ce que mon père se présente devant la porte, à dix-sept heures, précis comme un chrono suisse. André n'est plus dans sa chambre et je laisse mon père attendre ou essayer d'obtenir une explication.

Le lendemain, la dame de l'assurance me remercie pour les fleurs tout en me faisant remarquer que recevoir deux cents roses sur son lieu de travail est gênant. Je tente de m'expliquer, mais tout ce que je dis n'est que platitudes. Je ne peux décemment pas lui dire que j'ai payé le fleuriste pour qu'il décide à ma place.

Les jours passent, identiques. Mon père se présente tous les soirs à dix-sept heures précises. Le jeu devient simple. L'éviter pour ne pas avoir à lui faire de rapport sur les dernières informations que j'aurais glanées dans la journée.

André a un horaire réglé comme du papier à musique. Chaque jour à la même heure, la même personne lui fait la même martingale. Le tout est de ne pas tomber durant ces moments. Il reste que, régulièrement, il n'est pas là. Personne n'est capable de me dire pourquoi il est encore à l'hôpital. Il fait partie d'un service, il doit être dans sa chambre à des heures précises pour que les personnes qui font leur tournée le trouvent dans son lit quand elles passent. L'absence d'informations commence à me tanner et je ne peux plus m'empêcher de passer ma frustration sur le petit personnel qui se retranche derrière sa hiérarchie.

Dix jours après l'épisode des fleurs, j'entre dans la chambre d'André à un moment où il devrait être seul. Je regarde mon fils, suspendu à une « cigogne » porte-malade, déplacé par trois personnes. Un infirmier hoche la tête et dit à la seule personne en civil de la pièce que la chaise roulante n'est pas adaptée. J'écoute les arguments du vendeur qui aurait pu aussi bien être boucher-charcutier. Celui-ci demande à l'infirmier de repositionner mon fils au-dessus du fauteuil et guide la descente. Trois personnes pour manipuler un adolescent rigide sur le visage duquel se lit la douleur. Il n'émet pas un son, mais une larme coule sur sa joue. Il ne regarde rien, mais je me mets à espérer qu'il m'appelle à l'aide. Il est bloqué par les accoudoirs. Le vendeur agite la chaise et y enfonce mon fils avec le pied. Ce geste me fait détourner la tête et je me retiens de lui dire que j'aimerais moi aussi lui mettre des grands coups de latte dans la gueule. L'infirmier se précipite sur les commandes de la cigogne et extrait, non sans mal, l'adolescent de la chaise. Il le positionne au-dessus du lit et demande ensuite à ses collègues de le recoucher. Il s'empare de la chaise et la flanque par la fenêtre.

– Maintenant je crois que c'est clair : ce fauteuil ne convient pas au patient.

Le vendeur ne dit rien car l'infirmier a terminé sa phrase en me présentant. Il s'en va tandis que deux infirmières remettent André dans son lit. Une fois seul avec mon fils, je vais à la fenêtre pour voir où la chaise a terminé sa chute. Je ne l'aperçois pas, mais j'imagine mal qu'elle puisse être tombée dans une zone de passage. Je me couche et me blottis contre André. Une irrépressible envie de le toucher me saisit et, bien que je sache que les contacts physiques le perturbent, je le prends. Je le cale dans mes bras comme quand il était petit et je lui demande de me revenir le plus vite possible. La demoiselle qui fait de la psycho-quelque chose, et dont le travail consiste à essayer d'entrer en contact avec André, me trouve couché dans le lit de mon fils, endormi, les joues encore baignées de larmes. Depuis quelques mois, je pleure. Cela ne m'était pas arrivé depuis une vingtaine d'années. Elle me propose de me laisser, mais je lui dis que je dois y aller. J'allonge mon fils dans son lit et je sors, déçu qu'il n'ait pas réagi lorsqu'il était dans mes bras. Un son, un mouvement, un petit quelque chose qui m'aurait permis de continuer à faire ce que tout le personnel médical nous a demandé : garder l'espoir.

Sur le parking du centre, assis sur le capot de leurs ambulances, les chauffeurs attendent des ordres de transfert et leur vue me fait penser aux vautours dans les bandes dessinées.

Mes diverses remarques et récriminations font que ma femme obtient, enfin, une réunion avec tout le personnel et notamment la chef de service dont je commençais à douter de l'existence. Comme des nouvelles et des informations vont nous être transmises, mon grand frère et mes parents sont présents.

La chef de clinique démarre sur les chapeaux de roues en langage médical. Ses dix premières phrases ont pour but de nous larguer et elle enfonce le clou en utilisant la terminologie latine de certains mots. Elle a certainement mal lu le dossier, car elle n'a pas l'air de savoir que ma femme est médecin et qu'elle a été initiée aux énigmes des vocables médicaux. Même si je ne comprends rien, je bloque au moment où elle lâche, en passant, qu'ils ne feront plus de physio pour les jambes. Sous toutes les formes possibles, je lui demande si le fait de ne plus faire de physio signifie qu'elle estime qu'il n'aura plus jamais l'usage de ses jambes. Elle essaye d'éluder la question mais à ce jeu-là je suis capable de faire sauter les nerfs de n'importe qui. La langue française permet de faire du Steve Reich. Je replace la question aussi longtemps que je n'ai pas une réponse satisfaisante. Après une bonne dizaine de versions de la question, elle explose et se met à crier en agitant les bras.

– Que voulez-vous entendre ? Oui, c'est un légume. Il n'a rien à faire ici. Tout ce que l'on fait avec lui est une perte de temps. Il n'y a aucune chance de voir la moindre amélioration. Je ne comprends pas que ce soit à moi de vous le dire. Je ne comprends pas que, depuis quatre mois, vous ne soyez pas encore fixés sur l'état de votre fils. Ce n'est pas mon boulot de vous annoncer cela. On me l'a refilé et mon personnel perd son temps avec lui.

Les derniers mots ont été accompagnés d'un mouvement de la main en direction de la psycho, laquelle se met à pleurer instantanément.

Je la reprends au vol pour lui demander, puisqu'elle est dans le quart d'heure de vérité, pourquoi mon fils est amené jusqu'à sept fois par jour à l'hôpital ou aux urgences.

– On ne meurt pas dans ce service. C'est le règlement.

Mon père se lève, blême, s'excuse de devoir quitter la réunion, prétextant un rendez-vous urgent qu'il aurait oublié.

La tension est perceptible. Je me rends compte que j'ai lancé un pavé et que je suis le plus éclaboussé. Je lui demande ce qu'elle compte faire.

Elle m'explique qu'elle a depuis un mois une lettre sur son bureau pour demander le transfert dans une unité de soins palliatifs située à l'autre bout du canton.

Je conclus en lui demandant si c'est une unité où l'on a le droit de mourir.

Elle ne répond pas et, lentement, le personnel se lève et quitte la salle. Restée seule avec elle, ma femme lui parle de professionnelle à professionnelle et lui signifie que la façon dont elle m'a traité est inadmissible. Elle ne la laisse pas se justifier et lui demande d'activer le transfert dans l'unité de soins palliatifs.

Dans le couloir, je demande à son assistante de me fournir toutes les radios, IRM et scanners qui ont été faits depuis qu'André a été hospitalisé. Elle promet de me les préparer pour le lendemain et me recommande de ne pas les perdre. Ils devront suivre André lors de son transfert qui se fera dès qu'une place se libérera dans l'autre unité.

Ce que j'ai ressenti lors de la naissance de mon fils remonte brutalement à la surface. La joie, la peur et l'impression d'avoir un devoir pour les prochaines années. Le protéger, l'aimer, le guider et l'aider à devenir un homme. Depuis sa naissance, tous mes choix ont été dictés par ce jour. J'ai signé un pacte avec la vie et me suis engagé à faire en sorte qu'il y ait toujours quelqu'un de plus important que moi. Dans les escaliers de l'hôpital, je perds pied et me demande si je ne suis pas dans le coma, en train de rêver qu'il est arrivé quelque chose à mon fils. Je devrais être mort depuis trois ans selon le meilleur spécialiste des maladies sanguines et c'est mon fils dont on parle comme d'un cas désespéré.

Le lendemain, je suis en avance pour ma séance de chimio. Pour une fois que j'ai trouvé une place dans le quartier, je vais me prendre une prune. Dans le café, je croise un patient de mon médecin. Il vient aussi pour une chimio, sauf qu'il est beaucoup plus marqué que moi. Son visage m'est familier et je sais que c'est quelqu'un de connu. Je n'arrive absolument pas à mettre un nom sur ce visage et j'hésite à m'approcher. Il me fait signe de le rejoindre et prend de mes nouvelles. Je suis incapable de lui parler d'autre chose que de mon fils alors que je sais qu'il est condamné. Au mieux c'est une question de mois. Il m'écoute, me propose un café et me demande s'il peut me donner un conseil. C'est le genre de question à laquelle on ne répond que par l'affirmative.

– Dans toute ma carrière d'avocat, je n'ai jamais vu d'affaires d'accident qui ne se transforment pas en cauchemar dès que les assurances entrent dans la danse. Vous devez prendre un avocat et demander le plein accès aux rapports de police. Sans un bon défenseur, vous risquez de vous trouver dans une situation absolument insupportable. Vous ne pourrez jamais parler d'argent avec une compagnie d'assurances alors que dans ce genre d'affaire il ne s'agit malheureusement que de cela. Et si vous êtes mal conseillé, c'est toute votre vie qui risque de basculer. Voici ma carte. Je vous note le nom d'un de mes collaborateurs. C'est un avocat brillant et il saura vous conseiller. N'hésitez pas à l'appeler de ma part.

Il se lève et me tend une main ferme.

– Je crois que l'on se reverra dans la salle de transfusion. Mais ce n'est pas un lieu propice à la discussion.

Je regarde la carte et me rends compte que c'est l'un des plus célèbres avocats de Genève. Je viens de passer un quart d'heure à déballer mes angoisses à un des avocats les plus brillants de ce siècle. Une sorte de Zola ou de Badinter genevois. Hors de ce café, je n'aurais jamais eu la moindre chance d'obtenir un rendez-vous avec cette sommité. Il m'a donné sa carte de visite et de précieux conseils. Je n'ai même pas payé les cafés, alors que ses honoraires sont hors de portée de ma bourse. Je range la carte et me rends chez mon médecin pour me faire injecter dans les veines un produit qui va me rendre malade pendant deux jours et m'empêcher de fonctionner pendant quatre. En sortant je vais voir mon fils, rapidement, avant que le produit fasse vraiment son effet. Il n'est pas dans sa chambre. J'y dépose les trois kilos de radios et d'examens qui lui ont été faits et je rentre chez moi sans demander à personne où il se trouve. La réponse a tendance à m'énerver.

Le lendemain j'arrive à l'hôpital en début d'après-midi. Je vomis dans le parking. À cette heure, c'est la physiothérapeute qui devrait être avec André, mais depuis la réunion je ne l'ai plus revue. Lorsque je pénètre dans la chambre, je sursaute en voyant la physiothérapeute accroupie par terre, une radio à la main. Elle pleure. Je vois qu'elle les a toutes regardées. Je range les radios qui traînent pour les remettre dans le sac. Elle ne me laisse pas prendre celle qu'elle tient dans la main. Chaque fois que j'essaye de lui retirer la radio, elle la serre contre elle. Je m'assieds à côté d'elle et j'attends qu'elle se calme. Ce qu'elle dit n'a aucun sens. Je ne comprends rien, mais je continue à lui dire de se calmer et de ne pas prendre les choses trop à cœur.

– Vous ne vous rendez pas compte, ça fait deux mois que je le torture !

Je ne comprends pas de qui elle me parle, mais je fais ce que la bienséance m'a appris à faire : j'essaye de la consoler. Je lui dis que je la comprends et qu'il y a une solution.

– Une solution ? Vous plaisantez ? Ce service, c'est de la merde ! On ne peut pas travailler si les informations ne sont pas transmises. J'ai demandé une radio du bassin deux jours après son admission. Chaque fois que je le manipulais, j'avais l'impression que je lui faisais mal. Quand j'ai demandé si la radio montrait quelque chose, on m'a répondu que tout était normal, et regardez ! Regardez !

Elle me tend une radio du bassin qui date de fin janvier. Je la regarde. Je ne vois rien. Elle frappe la radio avec le doigt et se remet à crier.

– Mais vous ne voyez rien ? Là ! c'est une fracture et il n'y a pas besoin d'être radiologue pour savoir que chaque fois que je le bougeais, il devait souffrir le martyre. Je n'en peux plus de bosser dans ces conditions. On ne nous donne pas les bonnes informations. On ne peut pas travailler ainsi. C'est monstrueux.

Je ne trouve rien à dire, rien. Je suis sonné. Je reste assis par terre et c'est la physiothérapeute qui remet la radio dans le sac. Je cherche une réponse aux interrogations de cette femme, mais je n'arrive pas à formuler une question. J'ai à peine le temps de prendre le haricot de la chambre, celui qui est toujours là, changé chaque jour, mais qui ne servira jamais, et je vomis.

Les semaines passent et se ressemblent. Je vais tous les jours à l'hôpital en évitant de croiser mon père qui pose toujours les questions auxquelles je n'ai pas de réponse. Chaque fois que je perds la notion du temps et que je le croise, j'ai droit à des questions pour jésuite qui aurait perdu la foi et chercherait la preuve suprême de l'existence de Dieu. Le fonctionnement de ma famille ne change pas et ne changera jamais. Ma mère exprime les émotions et les certitudes indémontrables, mon père rationalise. Dès qu'il s'agit d'émotion, il passe la question à ma mère qui se charge de botter en touche. L'organisation du clan a des règles et elles sont immuables. J'ai pris ce que je pensais être le meilleur en décidant que je pouvais laisser le pire. Indubitablement, je ne sors pas des modèles acquis durant l'enfance. Je reproduis les exemples parentaux et, même en prenant le parti de faire le contraire, je reviens à la case départ. Même si je n'ai aucun souvenir de mon grand-père paternel, il paraît que je lui ressemble. Mon père s'est évertué à ne pas lui ressembler. Il m'a éduqué avec le bagage que la vie lui a donné. Le résultat est que j'ai fait la même chose que lui. En m'évertuant à faire l'inverse de mon père, j'ai refermé le cercle. Je suis devenu père le jour où j'ai accepté cette chance. La preuve de cette théorie est couchée sur un lit et, selon les médecins, je ne saurai jamais si mon fils ressemblera à mon père. À force de faire le contraire de son géniteur, on revient tout le temps au même point, seule l'époque change. Les qualités humaines d'une génération peuvent devenir des défauts à la suivante ; l'inverse est valable aussi. Je passe une partie de l'après-midi à regarder mon fils dans les yeux. Il faut de temps à autre lui mettre des gouttes oculaires car ses paupières ne clignent pas. Je me plonge dans ses yeux et je laisse la musique monter. *Mercy Street* de Peter Gabriel, lorsqu'il était bébé et que je l'endormais dans mes bras. Il ne mesurait que quarante-quatre centimètres pour un kilo huit. Je le prenais contre moi et je chantais en le regardant dans les yeux jusqu'à ce qu'il s'endorme. J'arrive à me rappeler la musique et ses paupières qui se fermaient au fur et à mesure que ma voix baissait. Les paroles me reviennent sans aucun effort. Ses yeux sont fixes et je me positionne de manière à croire qu'il me regarde. Je me déplace de gauche à droite pour voir si ses yeux me suivent. Le regard reste vide. Ses yeux sont magnifiques. N'importe quelle fille payerait pour avoir des cils comme ça. Je n'obtiens aucun signe de contact. *G-Spot Tornado* de Zappa démarre à un volume insoutenable. Zappa a réussi à mettre en musique ce qu'un homme doit ressentir lorsqu'il se retrouve à poil sur une autoroute. Je prononce son nom plusieurs fois, comme une supplique à une statue. Le dernier morceau d'*Harvest* de Neil Young me calme. J'aimerais que mon fils entende la musique. Je donnerais mon ouïe pour percevoir le son de sa voix.

Je n'arrive pas à m'empêcher d'entendre de la musique chaque fois que je le regarde dans les yeux. Je ne maîtrise pas mes larmes. Je parviens à me ressaisir lorsque je ne suis plus seul. Personne ne m'a vu pleurer depuis plus de vingt ans. Ces quatre derniers mois, je rattrape mon retard en versant mon tribut quotidien de larmes.

Parce que le Scénariste universel n'a pas le souci de l'exagération et n'a pas peur de pimenter, dix-sept ans jour pour jour après la naissance de mon fils, j'ai rendez-vous avec un employé de l'assurance du conducteur. C'est à se demander quand un publicitaire décérébré lancera un slogan du genre « La vie est une histoire vraie » ou « Ce que vous imaginez, d'autres le vivent ». Le jeune homme qui vient chez moi choisit ses mots. Il est délicat et ça m'inquiète. On ne pend plus les porteurs de mauvaises nouvelles. Il m'apprend que mon fils était couvert par deux assurances au moment de l'accident, mais que par chance c'était la même. Pour chaque phrase, je choisis mes mots. J'attends la mauvaise nouvelle, le coup de boutoir. Mon interlocuteur m'expose clairement la situation. Je passe en revue toutes les possibilités. Les montants dont il me parle me donnent le tournis. Il suffit que je regarde la feuille de papier sur laquelle il écrit pour me calmer. Il ne s'agit que d'un chiffre et d'une multitude de zéros. J'essaye de faire des réponses intelligentes et pondérées. Comme chaque fois que je suis confronté à une situation nouvelle, je fouille dans mes souvenirs d'enfance pour en trouver une dans laquelle l'exemple paternel puisse me servir. Dans ce cas précis, je ne trouve absolument rien, car je n'ai aucun souvenir d'une discussion entre mon père et un assureur. Je suis d'ailleurs obligé d'admettre que, depuis l'accident, il n'y a aucun exemple paternel auquel je puisse me raccrocher. Autant, lorsqu'on parlait de ma maladie, je gardais une prestance et ne montrais ni la peur ni le doute quant à ma capacité de surmonter le problème, autant, dans la situation présente, je n'ai pas la moindre indication sur le comportement à adopter. Tout est à l'envers. Je n'ai jamais été confronté à un problème dont la solution ne dépend pas de moi et où les livres et les personnes qualifiées ne me sont d'aucune utilité.

Quand je suis tombé malade, une bonne partie de ceux que je pensais être mes amis ont changé de trottoir. Depuis l'accident d'André, hormis quelques témoignages de sympathie par SMS, je ne vois plus personne. Les quelques amis qui passent encore me voir le font en serrant les dents et je sens bien qu'ils ne supportent pas que je parle de l'état d'André alors que ce sont eux qui posent des questions. Au bout de trente jours le téléphone a arrêté de sonner. Comme lorsque ma vie pouvait basculer du côté pile ou face, la plupart de mes amis ne supportaient pas que la médecine moderne ne répare pas André. Les mêmes amis qui exigeaient des résultats de la médecine me conseillaient des rebouteux ou des sorciers grâce auxquels la sœur d'un ami de leur conjoint avait été soignée d'un mal indéfini et que les médecins avaient déclarée inguérissable.

L'assureur passe en revue toutes les possibilités et éventualités. Coûts, avantages, pièges, risques, ce type est un dictionnaire des catastrophes à lui tout seul. Ce n'est pas un pessimiste, car pour penser que le pire est encore à venir, il faut être optimiste. Il me parle de ce qu'il a vu, de ce que son métier lui a fait voir. Il me force à imaginer les pires situations. Et la pire n'est même pas celle que j'avais imaginée. Celles qu'il me propose sont une vision dantesque de l'enfer. J'essaye de comprendre pourquoi cet employé me débite le catalogue des arnaques en tout genre, des chausse-trapes et des coups de pied de l'âne. J'entends *Arcana* de Varèse. Des agrégats sonores qui se percutent et qui, en se déployant, créent des mélodies. Chaque partie de l'orchestre lance un son et lorsque ces sons se percutent, d'autres sons naissent, un peu comme les mots pour les idées. La musique de Varèse disparaît quand le représentant de l'assurance me demande comment je fais pour rester aussi calme et pourquoi je ne ressens aucune rage contre le conducteur de la voiture. Je bredouille une réponse toute faite sur les accidents, que je ne finis pas. Il m'assène deux phrases que je prends comme un crachat en pleine figure. Je cherche des raisons rationnelles à un accident alors que l'explication est ailleurs. Le conducteur était sous cannabis et il roulait sans utiliser ses phares. Dans le rapport de police, il est indiqué qu'au moment de l'accident il roulait à cinquante-cinq kilomètres-heure, alors qu'il venait juste de doubler une autre voiture qui roulait, elle, à soixante kilomètres-heure. Totalement impossible. En deux phrases, l'assureur me coupe le souffle. Tout le reste de la discussion n'est qu'une suite d'onomatopées. Mes phrases n'ont plus de sens et l'assureur voit bien que je suis sonné et que je n'ai pas les informations qu'il a en sa possession. Il est gêné et sent qu'il a largement outrepassé ses fonctions. Comme j'ai mis en boucle la même question, il me conseille de prendre un avocat et de photocopier quelques pages du rapport de police.

Quand je lui demande pourquoi la police m'a dit que le conducteur n'avait pas eu la moindre contravention, il me répond qu'ils auraient dû aller se renseigner aux USA. Ma question revient sous toutes les formes possibles. Pourquoi ne m'a-t-on rien dit ? Pourquoi n'a-t-il pas fait de prison ? Pourquoi ne sais-je rien ? Pourquoi ?

La rage me tord les tripes. J'attends que l'assureur sorte de la maison. Il sent que je suis prêt à exploser, il doit le sentir, il ne part pas, il fuit. J'arrache mes vêtements car je cuis.

J'envoie un gauche droite dans le mur qui me

casse directement les phalanges. Je me couche car mes jambes me lâchent. Je n'arrive pas à crier. Je sors le flingue de sous mon coussin et je vide le chargeur sur le mur en face de moi. Le bruit me sonne. Le mur a encaissé les balles, mais le bruit m'a frappé comme si j'étais de brique. L'arme est brûlante. Je ne bronche pas quand le canon brûle la peau de mon thorax. Les quinze balles dans le mur dessinent une croix. À cinq mètres, elles sont toutes dans un cercle d'un diamètre de deux centimètres. Je reste étendu et je laisse la brûlure gonfler. Je ne me contrôle plus. La douleur est la seule chose qui me retienne à mon corps. Je bave et mon nez coule. À force de me contorsionner sur mon lit, je prends conscience que je suis en pleine crise. Je ne l'ai pas sentie arriver et elle est déjà à son acmé. C'est une vraie de vraie, une rare, de celles qui m'envoient en six secondes dans les pommes. Jamais compris d'où venait cette expression. Aucune idée de la raison pour laquelle perdre connaissance serait comparable au fait de s'étendre dans des pommes. La langue française et ses mélodies sont truffées d'expressions qui ne veulent rien dire. Petit, parlant l'italien, j'arrivais à comprendre qu'il y avait un mystère dans le mot « fromage ». L'italien me permettait de comprendre que le lait était formé. Quant à savoir pourquoi on parlait de fromage en français, je l'ai appris au collège. Pour le « coq-à-l'âne », il a fallu que j'aie trente ans pour comprendre qu'on ne passait pas d'un gallinacé à un équidé mais que l'on restait dans la ferme, du français à l'allemand. Pour les pommes, je cherche encore. Dès que je réussis à me dégager des pommes, je me roule par terre – en essayant de ne pas étaler ce qui est sorti de mon corps – pour attraper un flacon de morphine. La moitié me suffit pour aller jusqu'à la salle de bains. Je m'écroule dans la douche et me lave en serrant les dents. À force, j'ai éclaté tous mes plombages et me suis cassé deux dents. Cela fait deux ans que je devrais aller chez un dentiste, mais j'utilise le trou dans la molaire que je titille pour oublier la douleur ou pour couvrir une douleur par une autre dont je connais la provenance. En sortant de la douche, je finis le flacon. Au bout d'une demi-heure la douleur se calme, mais la rage ne faiblit pas. Je n'arrive pas à lier les choses, à mettre deux idées côte à côte. Je n'ai pas d'explication rationnelle à la situation. Le scénario est mauvais. Je ne sais plus de quel côté se trouvent les méchants et les gentils. On est loin d'un film des frères Coen. Une galerie de personnages à la psychologie mal définie, des rôles inversés ou croisés. Une partition où les registres ne sont pas attribués aux bons instruments. Jouer la partition d'un hautbois avec une timbale est stupide, mais pas impossible. Le pire n'est pas de la jouer mais d'en être l'auditeur. Je renonce à aller à l'hôpital. Je sais déjà qu'il y aura du monde dans sa chambre pour lui souhaiter un bon anniversaire et je suis persuadé que la journée n'a pas fini de me cogner. Le réel c'est lorsqu'on se cogne. Pour moi la vie c'est lorsque ça cogne, mais la vie ne cogne que ceux qui acceptent de la vivre.

Il n'est pas quatorze heures et j'ai déjà ma dose. Mon fils sera transféré dans une unité de soins palliatifs et je n'ai plus envie d'entendre les bruits du monde. Quatre ans de médication lourde m'ont appris à utiliser les médicaments. Certains mélanges sont intéressants. L'antivomitif augmente la puissance de certaines substances. Une double dose de somnifères m'offre trois heures de sommeil avant que les cauchemars n'arrivent. Je sais déjà que je vais me remémorer les premiers jours de vie de mon fils. Je passe de moments tendres où je joue avec lui au meurtre froid du conducteur et de sa passagère, sans transition. Je vais me retourner dans mon lit en me voyant dorloter et chérir l'être à qui j'ai donné la place prépondérante dans mon existence et qui aujourd'hui souffre dès que je le touche. Une triple dose m'expédie au lendemain. Huit heures d'absence. Mes premières depuis sept mois. Le noir complet. Un trou dans mon existence. Des vacances pour mes tripes.

En début d'après midi j'arrive à proximité du bâtiment où mon fils va finir sa vie. J'ai une tête de déterré, mais seule ma femme est capable de voir mes abus de pharmacopée. Je sais quand elle peut lire sur ma tronche ce qui se passe. J'ai pris l'habitude de ne pas croiser ma fille pour éviter de l'inquiéter. Durant les périodes de traitement, je restais dans ma chambre pour avoir accès plus rapidement à la cuvette des toilettes. En raccourci, ma fille a associé le lit à la maladie. Une simple grasse matinée et elle s'imaginait que j'étais malade. Je faisais donc en sorte de me coucher soit lorsqu'elle n'était pas là, soit loin de mon lit.

Dans la nouvelle unité, ma femme connaît naturellement tous les chefs de clinique et le patron. La règle de la promo qui arrive à son apogée et qui occupe tous les postes clés. Tous les médecins de son âge étaient en faculté en même temps qu'elle. Les plus âgés ont des fonctions où ils ne voient jamais un patient et sont plus souvent à la télévision qu'au chevet des malades ; les plus jeunes ne parlent pas aux proches des patients.

Une demi-heure à peine après la poignée de main pour moi et la bise pour ma femme, le chef de clinique lui demande s'il peut parler en toute franchise. Formulée de cette façon, la question n'appelle qu'une réponse positive.

– Aussi loin que je me souvienne, dit-il, tu n'avais pas d'idée préconçue sur la morphine.

– Je n'en ai toujours pas !

– Pourquoi ce gosse souffre pareillement ?

– Ils essayent de contrôler la douleur depuis décembre, mais ils n'arrivent à rien.

– Tu plaisantes ? Ils n'ont rien fait du tout.

– Ils nous ont dit que le gosse était sous antalgiques.

– Tu appelles le paracétamol un antalgique ?

– Je ne comprends pas.

– Tu as quelque chose contre la morphine ?

– Non ! Bien sûr que non. Mon mari en prend depuis plus de cinq ans. J'en ai prescrit durant des années lorsque je travaillais aux soins palliatifs.

– Je ne comprends rien.

Il se plonge dans le dossier d'André et tourne rapidement les pages. Je sais que ma femme s'inquiète et qu'elle se prépare à encaisser un coup.

– Qu'est-ce que tu ne comprends pas ?

– Cet enfant crève de douleur et on lui donne de quoi traiter une gueule de bois. Il ne lui a été prescrit que du paracétamol, et encore, des doses pour canari.

Je ne comprends pas tout car l'échange est trop rapide. Les mots ne signifient rien, seule la grimace de ma femme me permet de comprendre de quoi on parle. J'entends Robert Wyatt. La voix d'un des meilleurs batteurs des années soixante m'envahit et je n'écoute plus rien. J'entends cet homme qui est en chaise roulante et qui arrive à faire sonner sa voix et prendre aux tripes comme Jeff Beck avec sa guitare.

Je lis la déception sur le visage de ma femme et j'arrive à savoir que ce qu'elle lit dans le rapport médical la fâche. Les sons de la salle m'agressent. Il n'y a pas d'harmonie. C'est dissonant. Rien ne colle. Les musiciens ne jouent pas ensemble. Rien que le nom du chef de clinique est surréaliste. Chaque fois que ma femme prononce son nom de famille, il faut que je réfléchisse pour savoir si elle l'insulte ou si elle lui parle. C'est tellement ridicule qu'il lui propose le tutoiement. J'en suis réduit à imaginer une session avec Robert Wyatt, Jeff Beck et Tony Levin. Le cri des tripes, le hurlement vocal et le son de la basse, comme un cœur qui bat, parce que les émotions sont trop violentes. La musique emplit la salle et lorsque le docteur Conne propose d'aller voir la nouvelle chambre d'André, la voix de Wyatt me suit. Dans le couloir, Neil Young lui donne la réplique, et des cuivres entrent dans le tempo pour appuyer le groove.

Installée dans une aile neuve de ce vieil hôpital, la chambre est au deuxième. La pièce est remplie de personnes qui s'affairent autour d'André. Un des infirmiers vante le fait qu'il y a des arbres tout près et des animaux visibles depuis la fenêtre. Le parc est magnifique et l'on pourra sortir André dès que son fauteuil aura été rapatrié. Personne ne parle de soins, mais de confort, de bien-être.

De retour à la maison, je regarde le faire-part de naissance du quatrième enfant de Clinga. Elle doit être heureuse. Je la connais suffisamment pour savoir que le bonheur des autres passe avant le sien. Le père peut être un clou tordu, le gosse sera au moins protégé par sa mère, qui donnerait ses quatre membres sans hésiter. L'homme a de la chance. Je ne ressens aucune jalousie. Je ne l'ai vu qu'une seule fois et mon premier sentiment a été qu'il n'aura pas la stature pour suivre Clinga très longtemps. Autant le père de ses deux garçons avait la carrure d'une armoire normande, autant le nouveau est aussi efficace qu'un billet de trois dollars.

Ces impressions m'envahissent depuis que je suis un homme et ne me trompent que rarement. Je donnerais cher pour qu'elles disparaissent. Avec mon ouïe, c'est la seule chose que je ne contrôle pas. J'ai attendu la trentaine pour ne plus aller à l'encontre de ces impressions. Chaque fois que je ne les ai pas suivies, j'ai dégusté. Je ne cherche plus à comprendre et je fais en sorte de suivre ce qu'elles m'indiquent. Mon ouïe me permet d'entendre loin et de suivre plusieurs discussions en même temps. Dans un bistro, je peux parler avec un interlocuteur en face de moi et écouter une discussion qui se passe à l'autre bout du restaurant. J'ai souvent envie d'intervenir, mais je ne le fais plus depuis que je suis père. Il en va de même pour les conversations téléphoniques. J'arrive même à entendre le correspondant d'une personne qui téléphone.

Les soirées passent lentement. Je ne tiens pas en place. Je n'ai personne à qui parler. Depuis l'an 2000, le nombre de mes amis a fondu au soleil et les rares qui restent ne se satisfont pas de deux heures de sommeil. Les questions que je me pose assaillent ma femme, mais doubler les interrogations n'apporte pas plus de réponses.

Dehors les gens dorment. Je prends l'arme qui n'est plus sous mon oreiller depuis qu'elle m'a tatoué le torse. Je sors. Personne n'a remarqué que j'ai perforé le mur. Un simple clou, et une photo recouvre les trous.

Les nuits sont moites, et l'on n'est qu'au mois de juin. On passe du froid glacial à la moiteur. Cette ville a un climat propice au calvinisme. Je me suis toujours demandé dans quelle mesure les modifications climatiques influencent les évolutions sociales et politiques. La fin de la monarchie aurait-elle eu lieu en 1789 si le climat avait permis des récoltes assez abondantes pour nourrir trois fois la population de l'Hexagone ? Dans une cuvette coincée entre deux montagnes, un couvercle de casserole quatre à cinq mois au-dessus de la tête donne certainement une vision morbide de Dieu. Au bas mot, une météo pareille fait que l'on ne peut imaginer un Créateur prenant le frais sous une tonnelle, un verre de vin à la main. Plier l'échine et accepter les baffes du Très Haut est une attitude normale, vu le climat d'ici.

Cela fait une heure que je suis sous la fenêtre du conducteur qui a renversé mon fils. J'ai fait trois pas en arrière pour être dans l'obscurité lorsqu'il est sorti sur le balcon pour allumer un joint. Ma main a saisi le pistolet dans mon dos. La vitesse à laquelle je l'ai sorti me surprend. À cette distance, je suis capable de lui loger trois balles dans la tête.

Sur une cible fixe, je pourrais placer les quinze balles dans le mille en tir rapide. Sur une cible vivante, l'impact des trois premières projetterait le corps en arrière. Un tir de bas en haut. Une simple question de géométrie. En ligne droite, une tête humaine fait une cible de vingt-cinq par vingt-cinq. Plus l'angle est fermé, plus la cible diminue. Dans le cas présent, il me faudrait mettre une balle dans une cible de moins de sept centimètres. Rien d'impossible, je suis capable de réussir un tir groupé à une distance plus grande et dans une cible plus petite. Cependant les douilles restent un problème. Même si je l'atteins en pleine tête, le bruit fera que les voisins allumeront la lumière. Dans le meilleur des cas, j'aurai trois secondes pour trouver les douilles. Faute de quoi, la police aura tout ce qu'il faut pour m'incriminer. C'est le défaut des pistolets par rapport aux revolvers. Ce que l'on gagne en nombre de balles, on le perd en discrétion. Aucun revolver n'a la précision d'un pistolet. J'arme et je le mets en joue. Mon doigt frôle la détente. Quelques grammes de pression et il est mort. Une balle de neuf millimètres et je l'efface de la surface du globe. Combien de nuits ai-je rêvé cet instant. J'ai des doutes quant à l'efficacité d'un tel acte sur mes nuits. Dans mes cauchemars, il me faut plus d'une balle pour supprimer mes fantômes. Des centaines d'images passent dans ma tête. Un corps qui tombe du troisième. Le coup de feu au moment précis où le train me passe dans le dos. Je le tue.

Il jette son joint. Il rentre, il referme la fenêtre.

La bienséance ne dispose pas de mots adéquats pour les situations horribles. Avec le temps, le progrès et l'avènement des nouvelles technologies, les situations douloureuses ne se produisent que derrière un écran de télévision. Lorsque l'inacceptable survient dans le réel, je ne suis pas prêt. L'absence de résultats médicaux, le manque de nouveauté, le temps qui passe obligent à répéter à mes proches les mêmes nouvelles et ça devient très vite insupportable.

Les semaines filent, les amis espacent leurs visites, évitent d'appeler, oublient jusqu'à mon numéro de téléphone. Les parents des amis de mon fils ne me parlent que lorsqu'ils ne peuvent pas faire autrement et les larmes emplissent rapidement leurs yeux. Alors, ceux que je dois fréquenter quotidiennement sont tenus à l'écart de mon tourment. Je ne supporte plus les commentaires sur ce que l'on doit ressentir. Les paroles de réconfort et les mots « courage » et « espoir » m'insupportent et me rendent désagréable. Je ressens chacune de mes incapacités à expliquer pourquoi mon fils n'est pas guéri comme un échec personnel. J'utilise de plus en plus le jargon médical. Comme les médecins restent dans le flou, je peux être flou. Petit à petit les amis se font rares, absents. Ceux qui restent ne sont pas ceux que l'on croyait les plus proches, les plus fidèles. Quelques-uns ont le courage d'aller à l'hôpital et leurs yeux à la sortie me font mal. Peu rééditent l'expérience. Ceux qui ont des enfants en font des cauchemars. Je n'arrive pas à en vouloir à qui que ce soit. Ce n'est pas le cas de ma fille qui retourne sa rage contre elle-même. Je sais que si c'était l'enfant d'un autre, je me trouverais mille prétextes pour ne pas confronter mon imagination à cette situation. Je me connais suffisamment bien pour savoir que l'empathie transformerait mes nuits en longues errances et que les cauchemars me mettraient à la place du père, en sachant, cette fois, que je n'approcherais pas, loin s'en faut, de ce que ressent un père dans ce genre de circonstance. Ceux qui passent encore à la maison essayent de ne pas poser trop de questions et s'occupent des vivants. Les rares auxquels j'arrive à exprimer ma tristesse écoutent en silence et ne tentent pas de me remonter le moral. Mon voisin, épicurien, amateur de fleurs et de chats, mycologue averti et optimiste conscient que le pire est à venir, m'accorde de son temps, tout en me laissant croire que c'est moi qui lui apporte quelque chose. Le cercle de mes amis se réduit à une petite main. Comme si les coups du sort pouvaient être contagieux. Au début de l'été, je commence à croire que je porte la poisse. Ne rien pouvoir faire pour mon fils, perdre le contrôle et devoir déléguer totalement la planification de mon futur me tire le moral vers le bas. Ma fille m'envoie des missiles et met le doigt partout où ça fait mal. Elle sombre alors que je fais tout pour me convaincre que je reste debout. Ma femme maintient tout le monde à bout de bras et je sens bien que je perds pied. Le manque de sommeil, la douleur psychique et physique m'empêchent de voir la route à suivre, le comportement à adopter et le discours à tenir. Il me faut une caution morale, quelqu'un qui me dise si ma tristesse et ma peur sont justifiées. Il faut trouver quelqu'un en qui j'aie confiance, qui ait les connaissances médicales et la distance nécessaire pour me donner un avis objectif. Mon médecin qui, j'en suis certain, n'est pas capable de me mentir. Un médecin capable de dire : « je ne sais pas, je n'y comprends rien », ne ment pas. Un ami pédiatre, qui connaît mes gosses, accepte de me donner son point de vue et, pour être certain de ne pas avoir deux avis contradictoires, un troisième est pris auprès d'un radiologue que je connais à travers sa maîtresse, de vingt ans sa cadette. Celui-ci ne fait pas dans la dentelle. Après une visite de dix minutes dans la chambre d'André, il ne me ménage pas. Scanners et IRM à l'appui, il m'explique qu'il n'y a aucune chance que mon fils reprenne contact avec qui que ce soit. Les images montrent un arrachement à la base du cerveau. Je ne vois rien, mais son explication tient en peu de mots. Lors du choc, ce qui relie le cerveau à la moelle épinière a été arraché. Si le cerveau était la boîte à fusibles, la plupart des fils qui en partent ont été arrachés lors du choc. Vu l'état des lésions, il ne comprend pas pourquoi un de ses collègues a opéré et comment André respire encore. Le fait que mon fils respire seul, sans assistance, le perturbe. Il reste coincé sur ce fait une bonne dizaine de minutes. Il pâlit lorsque je lui demande si sa vie est en danger. Il avale la fin de son verre et plante son regard dans le mien.

– La question est plutôt : combien de temps va durer son agonie ?

Il m'assomme de détails sordides sur l'effet des nerfs qui se rétractent et la rotation des membres sous l'effet de la traction nerveuse.

Le pédiatre parle peu. Il tourne un peu dans la chambre et secoue la tête.

– C'est la première fois de ma vie que j'ai honte d'être médecin. C'est n'importe quoi. C'est plus de la médecine, c'est la succursale du docteur Mengele.

Mon médecin ne me laisse aucun espoir.

– Je croyais que c'était la vision d'un père triste et impressionné à la vue de son fils sur un lit d'hôpital. Je ne pensais pas que cela puisse être aussi grave. Je ne pensais pas que... ça me dépasse qu'on laisse un être humain dans cet état.

Pour la première fois un médecin ne parle pas d'enfant ni de jeune homme. J'obtiens la confirmation de mes craintes. Mon fils ne changera pas d'état et cette situation pourra durer aussi longtemps qu'un virus ne s'attaquera pas à son organisme affaibli. En attendant cette hypothétique maladie, son corps continuera à se dégrader et à se déformer.

Mon médecin me raccompagne à ma voiture. Je réponds machinalement à ses questions. J'ai l'impression que j'ai fait ces réponses une centaine de fois. Je ne pense qu'à une seule chose : quelle sera la peine de prison que m'infligera un juge quand je viderai mon chargeur dans le corps de mon fils. Il ne me faudra que quelques secondes et ne pas réfléchir. Entrer dans la chambre, sortir mon pistolet armé dans l'ascenseur, et tirer quatre ou cinq coups depuis le pied du lit. Dans le pire des cas, en comptant le temps d'hésitation, deux secondes. Ensuite lâcher l'arme sur le lit et lever les mains, pour attendre la sécurité puis la police. Il ne me vient pas à l'esprit de faire un carton sur le personnel du service et d'attendre que la police m'allume.

Mon médecin m'explique que personne ne prendra le risque d'aider André. Avec des mots choisis, il me parle d'une possibilité pour que les souffrances de mon fils cessent. Il faut juste être patient et ne pas faire de vagues. Chlorate de potassium. Une injection et le cœur s'arrête au bout de quelques secondes, sans souffrances et surtout sans laisser de traces. Pour la première fois, un médecin me lit le menu ; les entrées m'ont déjà collé la nausée.

La suite est une succession d'horreurs. Il n'y a rien à quoi se raccrocher, ce n'est que la réalité que personne n'a exposée. Ce ne sera qu'une course entre douleurs et antalgiques, torsion des membres et vaines tentatives pour empêcher l'inéluctable. Avec le temps, ses talons arriveront jusqu'à ses omoplates. Mes proches m'ont toujours fait le reproche de voir tout en noir ; là, en l'occurrence, je suis battu.

Le lendemain, comme pour enfoncer le clou, le patron des soins palliatifs m'annonce qu'ils vont opérer André pour lui installer une pompe. Le but est de lui passer un tube dans le haut de la colonne vertébrale et de lui mettre un réservoir dans l'abdomen de façon à amener le produit en continu directement là où il est le plus efficace. J'ai droit aux risques opératoires d'usage. Cette fois j'en viens à espérer qu'il ne se réveille pas. Cette pensée me rend malade et me colle instantanément une migraine carabinée. Après l'explication de plomberie, alors que je m'apprêtais à sortir je retourne dans la chambre de mon fils, je me couche contre lui et le supplie de me dire ce que je dois faire. Je n'ai pas la moindre idée de ce qu'il ressent, mais si mes douleurs atteignent dix pour cent de ce qu'il subit, on a dépassé l'intolérable.

Mon médecin est compréhensif. Il prend le risque de me fournir de la morphine sans trop poser de questions. Il parle des risques d'addiction, mais ne s'appesantit pas trop dessus. Il sait que j'en utilise pour mon fils et ne veut pas que j'aie mal. À l'hôpital, ils lui donnent une dose toutes les quatre heures. Au bout de trois heures, le produit ne fait plus d'effet. Même si les infirmières voient que leur patient souffre, elles attendent l'heure pile et elles en sont à compter les secondes, alors qu'André est tendu comme un arc par la douleur.

Je prends du sirop de morphine dans ma bouche et le lui fais passer par un baiser. Le liquide descend lentement, comme tété. Le réflexe de succion fait partie de ceux que l'on a à la naissance. Je ne me sens pas comme une mère, plutôt comme Judas. André tète la morphine alors qu'ils ne lui donnent plus rien à boire depuis six mois de peur qu'il ne fasse une fausse route. Je ne supporte plus de le voir souffrir, comme je ne supporte plus ma propre douleur.

Il n'y a pas de semaine où je ne joue pas avec mon flingue et ne me le pointe pas sur l'épaule. Je crève d'envie d'y faire un trou. La douleur me rend irascible, je ne me supporte plus. Je n'imagine même pas ce que je fais subir aux autres. Il ne reste que les fidèles. Ceux qui ne jugent pas. Entre la cortisone, la morphine et toutes les autres substances que j'avale, je devrais dormir. Malgré cela, chaque soir j'augmente les doses de médicaments pour essayer de trouver quelques heures de sommeil. La douleur me laisse deux heures dans les bons jours. Je ne sais même pas si c'est la douleur ou les cauchemars qui sont le pire. Dans la nuit, je vois mon fils, debout devant un animal blessé, l'abattre après l'avoir ausculté. Je le vois regarder le soleil et secouer la tête, convaincu qu'il n'y a rien à faire pour l'animal hormis abréger ses souffrances. Parfois, dans mon rêve, lorsqu'il se baisse sur l'animal qu'il vient d'achever, c'est moi qui suis allongé par terre, reconnaissant qu'on m'ait enlevé la douleur, même si le prix à payer est de donner sa vie. Je me vois par terre, satisfait de l'échange. Plus de douleur contre une vie. Le troc est valable, le prix en vaut la chandelle.

J'ai Clinga au téléphone. J'écoute sa voix et je sais que quelque chose cloche. Elle parle de déménager, de changer de vie. Cela veut dire que son mari s'en va. Il a de trop grandes épaules pour la laisser délirer et faire n'importe quoi. La solidité n'est pas un gage de sécurité. Et pourtant il est solide. Un homme qui double les charpentes et les solives pour que le toit ne bouge pas. Un homme qui construit en pensant à après-demain et aux enfants des enfants. Un homme, simple, fort et beau. Elle le laisse mais ne le dit pas encore. Elle veut voler et c'est ce qu'il lui a appris. Elle va passer son permis de conduire. C'est un signe. Je l'écoute et je ne pense rien. J'essaye juste de savourer sa voix. Comme lorsqu'elle était dans le poste. Un son pour le plaisir, sans entendre, derrière les années de l'enfance, souffrances et abandons. Je fais court car elle m'agresse. Ce ne sont pas les mots, mais ce que le son de sa voix m'apprend. Mes repères flanchent. Je raccroche, pense à son mari et vais me coucher.

Je passe de plus en plus de temps au lit. La nuit, je zappe d'une chaîne à l'autre et la journée, je reste allongé à lire et à écouter de la musique. Les livres que j'avale ne me laissent aucune trace. Pour la musique, j'écoute un seul disque, en boucle et toujours le même.

J'ai délégué les tâches : mon médecin s'occupe de ma santé, je me prends la tête avec la douleur. L'époque nous apprend à hiérarchiser. Je ne m'intéresse plus à ce qui se passe dans mon sang. De toute façon, si mon médecin ne comprend pas, je n'ai aucune chance de comprendre quoi que ce soit. Alors j'abdique. Le sang et sa composition m'indiffèrent. Je préfère m'occuper d'une seule chose à la fois. La douleur. La douleur et ses conséquences. Quand j'ai mal, je ne suis pas capable de me consacrer à autre chose. Le reste du monde disparaît. Je ne mémorise plus rien. J'arrive à lire trois ou quatre fois le même bouquin et il faut éviter les cauchemars.

J'essaye de faire attention à la quantité de morphine que j'avale. Trop de sirop, je vomis ; pas assez, je déguste et je ne peux pas fonctionner. Je cherche à distinguer la part de souffrance qui vient de la maladie et celle qui serait liée à l'état d'André.

Je ne présente même pas tous les symptômes de la dépression. Une grande partie, mais pas tous. Je suis certainement dépressif, je dois l'être. On ne peut pas rester au lit des semaines et ne pas être déprimé. La douleur me fatigue et j'ai des coups de pompe plusieurs fois par jour. Au bout de quelques heures, il faut que je me couche. Dès que je force un peu, je dors debout. Chaque fois que la morphine fait l'effet voulu, que la douleur cède, je m'écroule. Il faut que je dorme.

Au bout de quelques mois, mon existence est simple. Je dors ou j'ai mal. Les moments où j'arrive à trouver ma douleur supportable sont ceux où je suis au chevet de mon fils. Chaque jour, je passe deux heures dans sa chambre. Dehors un âne brait. Depuis la fenêtre, les arbres sont magnifiques. Curieux comme tous les lieux où il y a des humains hors norme sont beaux. Que ce soit la prison, le centre de soins palliatifs, l'hôpital gériatrique ou encore l'hôpital psychiatrique, ils sont tous dans des endroits verdoyants, calmes et agréables. Entourés de parcs arborés, d'animaux en liberté, tous ces lieux ont en commun un cadre de vie idyllique, comme si l'extérieur devait contraster avec l'horreur de l'intérieur.

Je parle à mon fils. Je lui parle de tout ce qui me revient à l'esprit. Ma mémoire se dénoue petit à petit et des souvenirs enfouis remontent à la surface. Je lui parle de mon enfance, de ses grands-parents et de ses oncles. Je vais fouiller dans mon enfance pour voir si, par hasard, je trouve une explication au fait que je suis debout malgré les nombreuses bêtises que j'ai faites enfant, et pourquoi lui est sur un lit, sans aucune chance de le quitter. Je cherche à savoir ce qu'il aimerait que je fasse. J'essaye d'imaginer ce qu'il ferait si la situation était inversée, si elle était dans l'ordre des choses. En lui parlant de mon enfance, je me donne l'impression de partager avec lui ce que je n'ai partagé avec personne. Généralement je sors de l'hôpital dans un état second. Il me faut plusieurs minutes, assis dans ma voiture, pour raccrocher avec la réalité. Je passe de mon enfance au présent, le temps de prendre un ascenseur pour monter deux étages. Il faut rentrer, retourner à la maison où les souvenirs sont partout, sur tous les murs, dans chaque armoire. Neuf fois sur dix, je me couche pour pleurer, caché sous mon édredon.

Chaque fois que j'ai envie d'en finir, des souvenirs d'enfance remontent à la surface ; ceux que je croyais perdus. Comme cette période de ma petite enfance où l'aube donnait des signes de bonne volonté. Les oiseaux dans les arbres remerciaient le soleil de se lever et, surtout, le rituel du matin ; immuable et attendu. Quelle qu'eût été la journée précédente, mon père entrait dans ma chambre pour m'embrasser et me dire qu'il m'aimait. L'odeur d'après-rasage emplissait la pièce, la même depuis que je suis né, la première sensation, mon premier contact conscient avec le monde. Lentement les rêves s'en allaient, aspirés par une fragrance légère, laissant une traînée de douceur, comme des traces dans la neige.

Plus tard ma mère retirait les couvertures, signifiant la fin de l'état de semi-conscience et le début d'une nouvelle journée, d'une nouvelle aventure. Pour moi, il n'y avait pas d'hier et aucune chance d'arriver à demain. Donc tout se jouait le jour même et tout devait être dit.

Entre la sortie du lit et l'arrivée à l'étage en dessous, dans la cuisine, un long combat se déroulait pour retenir les rêves de la nuit. Avant les discours de ma mère sur l'importance du petit déjeuner et l'inexorable avancée de l'heure, je classais dans ma tête ce que je savais être vrai et ce qui était du domaine de mes rêves.

L'après-rasage était du domaine de la réalité ; certitude absolue, puisque le flacon se trouvait dans la salle de bains et que l'odeur, bien que différente, prouvait l'existence du passage de mon père. À l'inverse, la route pour l'école s'annonçait comme une montée à l'échafaud. Même si, parfois, mon grand frère m'accompagnait, tout était plus beau et plus attirant que l'entrée dans le préau de l'école et les longues heures à écouter une enseignante faire du bruit avec sa bouche.

Entre l'immeuble, l'appartement en duplex et le préau, le chemin le plus long, mais le plus rassurant pour mes parents, suivait une petite rivière capricieuse, qui de temps à autre cassait la routine de ce quartier résidentiel. Le long de ce sentier de terre battue, des milliers d'endroits gardaient encore les séquelles de jeux, de guerres ou de rêves inachevés.

Je rentrais en classe bouche close ; les terribles réprimandes de la veille portaient leurs fruits. Tout me déplaisait. L'odeur proprette des couloirs, les rangées de crochets, avec les pantoufles au garde-à-vous, par paires, sous les deux planches qui servaient de banc. L'énorme horloge des couloirs égrenait le temps, un temps particulier, beaucoup plus long que celui de dehors. Minutes d'ennui, heures de lassitude accentuée par de grandes baies vitrées où l'extérieur paraissait tellement plus fantastique que le cours de math ou la récitation de l'alphabet. Au fond à gauche, contre la fenêtre, je plongeais dans le rêve pour n'en ressortir que lorsque la sorcière usait d'une arme déloyale et inique : sa voix. Il fallait alors répondre, répondre à une question, question qui venait de Dieu sait où et dont la réponse n'avait, pour moi, aucun intérêt. Et comme elle voulait une réponse, je formais une phrase qui déclenchait un éclat de rire de mes camarades et laissait l'enseignante muette.

Répondre par les vers d'une poésie de Jean de La Fontaine à une question sur la table de Pythagore n'était certes pas l'attitude attendue du fils d'un universitaire.

Le jeu datait de la classe enfantine : l'enseignante m'empêchait de plonger dans mes rêves, je me débrouillais pour l'emmener dans mon monde, quitte à récrire la réalité, au prix de brimades et de bulletins scolaires cataclysmiques qui déclenchaient des séances de cris, ou le pire : de longs discours, doigt en l'air, sur le futur, sur le choix de ma carrière, et la menace d'une autre visite chez un autre adulte. Encore un grand qui avait un métier en « ogue », « iste » ou « atre » : psychologue, pédagogue, psychiatre, « parlologue »...

J'étais différent. Ce fut même la première chose que j'intégrai dans mes acquis. Ma toute première certitude. J'étais différent de mon grand frère, lequel sortait trois mots par jour, et encore, les jours fastes. Moi je ne la fermais pas, même dans mon sommeil. Je discourais et continuais à émettre des sons y compris lorsque les instits me scotchaient la bouche et m'attachaient à ma chaise avec du raphia.

Nicola était plus grand, silencieux, fort et je lui portais une vénération inconditionnelle. Je le voyais comme la seule personne capable de tout faire de ses dix doigts et le seul être au monde qui n'avait jamais peur. L'idée même que mon grand frère ne s'occupe pas de moi m'obligeait à le provoquer constamment ; pour me rassurer, de peur d'être oublié, de ne pas faire partie de la prochaine expérience. Expériences dangereuses, se terminant généralement par des incendies, des explosions ou des électrocutions. Mon grand frère cultivait son jardin intérieur et recherchait la quiétude dans un ordre rassurant. Moi, terrorisé d'être moins important que sa collection de petites voitures, j'en cassais une de temps à autre, sachant qu'il allait me frapper. Ses coups de poing étaient souvent la seule preuve que mon frère ne m'avait pas oublié.

J'avais quelques copains, beaucoup d'ennemis, peu d'amis et, pendant une longue période, ma seule idole fut mon grand frère.

Mon père était le seul Dieu de la création, inaccessible, nécessaire, indispensable. Ma mère, en prêtresse, entretenait le culte et construisait chaque jour le piédestal. J'étais différent aussi par mon nom de famille à consonance italienne qui me valait injures et surnoms d'oiseau. Différent dedans et dehors car mes parents m'appelaient Giacomo, alors que tous les papiers officiels étaient au nom de Jean-Jacques. Les deux prénoms furent utilisés longtemps pour distinguer l'ennemi de l'intime, celui qui savait de celui qui ignorait. Les rares Suisses à m'appeler Giacomo ne pouvaient me vouloir du mal : ils faisaient partie du clan. Ceux qui utilisaient « Jean-Jacques » s'adressaient à un autre, un personnage qu'il fallait construire jour après jour, une carapace pour me protéger, un autre moi qu'on ne pouvait pas malmener et à qui il ne pouvait rien arriver puisqu'il n'existait pas.

L'interprétation des adultes variait selon le point de vue qu'ils avaient sur mon comportement. Cela allait de l'idée que les boulons n'étaient pas tous serrés à un manque total de respect pour les autres en passant par une forme d'autisme. Sans le faire exprès, certaines fois, je ne répondais pas à l'appel de cet autre prénom, ce qui rendait fous les enseignants ou induisait le doute quant à mes capacités intellectuelles. Sans une omniprésence de ma mère, rapace protecteur qui donnait de la griffe dès qu'on touchait à sa progéniture, j'aurais fini dans des classes dites « parallèles », réservées, à l'époque, aux trisomiques et aux enfants à problèmes psychiatriques.

Mon premier coup de chance fut de naître à une période où l'on ne supportait pas l'échec scolaire et où tout était mis en œuvre pour que le maximum d'élèves achèvent leur scolarité avec un solide bagage, quels que soient le coût, le niveau social ou l'origine. Trop d'élèves en situation d'échec dans une même classe valaient à l'enseignante la présence d'un inspecteur qui contrôlait le travail effectué.

Trente ans plus tard, j'aurais été viré manu militari et flanqué dans des classes spéciales ou en école privée. La responsabilité des échecs ayant changé de camp, la diversité des populations fait qu'en moins de trente ans, une classe peut être mûre pour le psychologue sans que l'on se pose de questions sur le travail de l'enseignant. Au nom de la sacro-sainte concurrence, la férocité est entrée dans les programmes scolaires comme n'importe quelle autre discipline.

Protégé par un système éducatif qui arrivait encore à tolérer les différences, j'entrai dans un rapport d'incompréhension mutuelle avec l'institution qui fut la seule constante de ma scolarité.

Mais tout cela ne se fixa nulle part dans ma mémoire – hormis une musique et des sons. Le premier souvenir qui s'inscrivit fut le 13 octobre 1968. Ce jour n'avait, en apparence, rien de particulier, et tout ce qui s'était passé avant ne me concernait déjà plus. Au contraire, les deux ou trois mois précédents furent plutôt des vacances. Ma mère ayant avalé un œuf de dinosaure, elle me lâchait la grappe. Nicola m'avait castagné trois ou quatre fois et j'avais même dû me faire recoudre le menton. Moments totalement anodins pour moi au point que je connaissais la plupart des infirmières par leur prénom. Surtout, il y avait l'immense satisfaction de voir mon grand frère vérifier que j'étais bien dans mon lit, me parler, sans jamais s'excuser, et celle d'obtenir la petite voiture que mon père m'avait offerte à la sortie de l'hôpital pour me féliciter de mon courage quand on m'avait fait les points de suture. Je n'aurais pas compris les excuses. Ces gnons étaient la preuve que j'existais toujours et j'offris à mon frère le modèle réduit que j'avais choisi en essayant d'en prendre un qu'il ne possédait pas déjà. Le bonheur de mon grand frère quand il recevait une voiture en métal qui ne figurait pas encore sur son étagère me donnait envie de me reprendre un coup sur le visage et de retourner voir ces gentilles dames qui répétaient inlassablement les mêmes discours sur les seringues et les points de suture. A contrario, mes hospitalisations mettaient mon père dans un état proche de l'apoplexie et ça me faisait souffrir. Il fallait que je me modère.

Le 13 octobre 68, mon père me demanda de rester chez la voisine et s'en alla l'air complètement idiot, dépenaillé comme un épouvantail, le chandail à l'envers dans une Volkswagen KL 70 grise, avec ma mère qui haletait comme un petit chien. La voisine, Mme Dunant, petite-fille du fondateur de la Croix-Rouge, avait elle aussi des enfants et était la digne héritière d'un monde protestant incompréhensible pour un gosse de rital exubérant. Le 13 octobre 68, il m'importait peu de savoir que Dunant était le fondateur du grand service après-vente des fabricants d'armes. La famille Dunant vivait sur le même palier que nous, dans un appartement plus petit. Mme Dunant parlait de Dieu avec amour et lui consacrait beaucoup plus de temps qu'aux tâches ménagères. Elle faisait des tartines de Cenovis que ma mère proscrivait. J'adorais ça et détestais la fille de la voisine. Lorsque le tube de pâte à tartiner y était passé, je fuyais vers la rivière où Patrick me rejoignait. Nous avions le même âge et vivions depuis toujours dans la même allée.

– Salut la buse.

– Salut.

– J'ai vu ta mère partir pour la clinique.
– La clinique ?
– Ouais. Elle va te ramener une petite sœur.
– Une quoi ?
– Ch'ais pas. Ta mère elle a dit à la mienne qu'elle attendait une fille.
– Une fille ? Pour faire quoi ?
– Mais pour rien faire. Elle l'a dans le bide.
– Et c'est qui qui lui a mis une fille dans le bide ?
– Ben t'es con, c'est ton père.
– T'es fou ! Mon père, il aurait jamais mis une fille dans le ventre de ma mère... Un livre peut-être... Il en a des tas. Même des trucs en chinois, mais pas une fille.
– Ben, si c'est pas lui, c'est quelqu'un d'autre.
– C'est pour ça que Nicola pleurait ce matin. Une fille, merde... pauvre papa. De toute façon, Nicola pourra la réparer. Il aura qu'à la bricoler pour que ce soit un garçon.
– Ça, y pourra pas faire !
J'écarquillais les yeux comme si Patrick avait blasphémé.
– Y peut le faire. Il a tous les tracs Caterpillar.
– Mais ça, y pourra pas.
– Et pourquoi ?
– Parce qu'il y a des trucs qui sont comme ça.
– Comme quoi ?
– Ben ch'ais pas.
– Alors si tu sais pas, tu dis pas.
– Si, je sais. Je suis noir et toi t'es blanc !
– T'es pas noir !

– Si.

– T'est brun. C'est à cause du soleil. C'est parce que ta mère elle te met pas de crème scolaire.

– Il pleut depuis trois semaines. T'as vu où du soleil ?

– Ça veut rien dire. Mon frère y peut repeindre les voitures comme y veut.

Patrick restait muet. Je parlais tout le temps et ne lâchais jamais le morceau. Nous étions dans la même classe et Patrick savait que, même viré du cours, je continuais à argumenter dans le couloir, quitte à parler à l'horloge.

– Tu penses à quoi ?

– Au garage.

– Tu veux qu'on fasse un cache-cache ?

– Non. Viens voir.

Trente secondes pour entrer dans le garage et je lui montrais une vingtaine de pots de peinture bleu ciel métallisée qui devait servir à repeindre les allées.

Malgré le poids, nous en avons pris quatre et nous sommes retournés près de la rivière.

– Tu veux faire quoi ?

– Ben, ma mère a fait toute une chambre en rose, mais on n'en a pas. On pourrait peindre quelques arbres pour lui faire plaisir.

– Ça c'est une idée... comme... Chouette comme idée.

Avec des branches de sapin pour pinceaux, nous avons commencé à tartiner les arbres depuis le sol jusqu'à une hauteur d'un mètre.

– J'en ai sur mes habits.

– Moi aussi.

– Ma mère va gueuler.

– Ta mère gueule moins que la mienne.

– C'est parce qu'elle travaille, elle a moins le temps.

– Y a un truc. Enlève tes habits.

Nus comme des vers au beau milieu du mois d'octobre, nous ressemblions à des Schtroumpfs. J'étais fier. Une vingtaine d'arbres étaient bleus et aussi la plupart des rochers qui bordaient la rivière. Les arbres et les pierres avaient la même couleur.

– C'est ça que mon frère il aurait fait.

– Quoi ?

– Tu dis que t'es noir et moi blanc. Suffit de peindre. Regarde.

Avec les mains, je tartinai Patrick de la pointe des pieds jusqu'à la tête.

– Hé ! C'est bien, j'ai plus froid.

– Fais la même chose avec moi et on aura la même couleur.

Patrick commença par la tête en plâtrant massivement ma grande chevelure noire.

– T'en veux aussi sur la quiquette ?

– Ben ouais, sans quoi elle va rester blanche et on n'aura pas la même couleur.

– Mais vous êtes fous ?

La voix de la grand-mère de Patrick frisait l'hystérie.

– Et c'est de la peinture à l'huile… mon Dieu, il faut aller tout de suite à l'hôpital.

– Pour voir ma petite sœur ?

– Non, pour enlever la peinture.

– Mais pourquoi ? On a la même couleur maintenant et on a fait gaffe aux habits.

– Venez avec moi tout de suite.

– Je peux plus bouger.

La peinture était en train de sécher et Patrick commençait à avoir de la peine à respirer.

– J'ai chaud, Mémé.

– Mon Dieu. Venez vite avec moi.

– Vous voulez pas être aussi en bleu ? Il en reste.

– Toi, t'en rates pas une. Tu ne fais rien que des bêtises. Je devrais t'en coller une. Tu pouvais pas rester dans ton pays ?

– Mais comme ça vous aurez la même couleur que Patrick. C'est plus juste que la mémé soit de la même couleur !

– Je me sens pas bien, dit Patrick.

La grand-mère, qui avait eu quatre enfants, alerta une voisine infirmière espagnole qui éclata de rire et nous plongea à toute vitesse dans un bain de térébenthine et d'acétone.

Quatre heures plus tard, nous avions retrouvé une couleur presque naturelle et Patrick respirait normalement. La baignoire de l'infirmière espagnole ne s'en remit jamais. Elle resta teintée de bleu ciel. Mon père arriva alors que je trempais dans l'eau. J'avais les cheveux coupés à ras et le peu qu'il me restait gardait des traces de bleu.

Il avait l'air inquiet, fâché et heureux en même temps.

– Tu pouvais pas éviter de faire une bêtise aujourd'hui ?

– C'était pas une bêtise, c'est pour ma petite sœur.

– Il s'appelle Marco, et c'est un petit frère.

– Tu l'as réparée ?

– Pardon ?

– Patrick m'a dit que t'avais mis une fille dans le ventre de maman. Tu l'as changée ?

– Ta mère espérait une fille. Tu comprends, après deux garçons c'est normal.

– Pourquoi ? C'est pas bien les garçons ?

– Si. Mais avoir deux garçons et une fille aurait fait plaisir à ta mère.

– Et toi ?

– Moi je suis très heureux d'avoir mes enfants.

– Il est noir ?

– Non... pourquoi ?

– Ben, Patrick il est bien noir et sa mère elle est plus blanche que moi.

– Oui. Mais le père de Patrick est noir.

– Alors il sera jamais blanc ?

– Non.

– Et moi jamais noir ?

– Un peu bronzé, quand on ira en vacances à la mer, comme l'an passé.

– Elle rentre quand, maman ?

– Dès que les docteurs auront fait des examens à ton petit frère.

– Parce qu'elle va le ramener à la maison ?

– Ça c'est certain et j'espère que tu seras gentil avec lui.

– Y s'appelle comment déjà ?

– Marco.

– Ah ! Et donc c'est mon frère.

– Oui, comme Nicola.

– Non. C'est pas possible !

– Pourquoi ?

– Il sait pas faire exploser les poubelles !

– Non. C'est parce qu'il est tout petit. Et tu m'as promis que tu n'irais plus mettre des pétards dans les poubelles de l'immeuble.

Promesse facile à tenir, car pour moi il ne s'agissait pas de mettre un pétard dans une poubelle, mais d'une expérience scientifique avec mon grand frère pour vérifier si une bombe de fabrication maison pouvait me transporter sur la Lune. Après la destruction de deux poubelles et d'un ascenseur, Nicola décréta que ce n'était pas assez solide et qu'il fallait trouver un habitacle plus résistant, comme chez Caterpillar.

– C'est bien qu'il soit minuscule. Il y a des endroits dans la décharge où je n'arrive plus à passer. On pourra y balancer Marco en l'attachant avec une ficelle.

Mon père secoua la tête et m'embrassa sur le crâne, ce qui lui fit les lèvres bleues. Il me laissa seul dans la baignoire et à partir de ce jour, j'eus des souvenirs. Depuis j'utilise la musique pour les accrocher. Étonnamment, je me souviens de toutes les femmes qui ont compté dans ma vie. Chacune d'elles a sa musique, sa mélodie. Elles m'ont rempli comme une salle de concerts. Chaque fois que j'ai aimé une femme, j'ai accroché des notes à des mélodies qui m'ont accompagné jusqu'à la fin du millénaire. D'un coup, sans que je m'en rende vraiment compte – médicaments, déprime ou manque de temps –, j'ai lâché cet aspect de ma vie comme d'autres décident de lâcher l'alcool. Je ne me suis rendu compte de rien, mais un matin j'ai pris conscience que cela faisait quatre ans que je n'avais pas ajouté de notes de musique à mes morceaux, et que le souvenir de leur mélodie s'effaçait lentement. Je le constatai soudain en regardant mon corps dans la glace. Sous médicaments, c'était la peur de transmettre une maladie que personne ne connaissait mais que tout le monde prétendait intransmissible. Cette logique étrange me fit refuser des offres qu'en temps normal je n'aurais pas laissé passer. Ensuite, les médicaments firent que mon corps ne répondait plus à rien. Je ne ressentais plus rien, hormis la douleur, laquelle est incompatible avec le plaisir. Puis l'accident de mon fils. Impossible de penser à autre chose, mais surtout le manque physique de mon fils. La dernière chose qui me serait venue à l'esprit. La peau de mon fils me manque, son contact et sa voix font un trou dans mon existence. Il est sur un lit d'hôpital et je ne peux pas le prendre dans mes bras. Je pourrais le toucher pour compenser le manque, mais chaque contact physique lui est insupportable. Je ne peux pas retrouver les notes de musique en sachant que ce sera une torture pour mon fils. Dès que je ferme les yeux et si une femme est dans mes bras, cette impression m'assaille et fait que je fuis, vite et sans possibilité de me contrôler.

Mon père m'appelle un jour sur deux pour savoir ce que disent les médecins. Je n'ai pas de réponse et je sais qu'il n'a aucune envie de savoir. Il aimerait que je lui dise qu'une solution, qu'un espoir se profilent. Je devrais lui dire d'arrêter de toucher la main d'André des heures durant. Le seul qui écoute est mon frère aîné. C'est ma femme qui lui parle lorsqu'il passe à l'improviste. Généralement, je me couche, loin des diagnostics de ma femme, à deux portes de cette histoire sans espoir. Je me recouvre de mon duvet et j'évite d'entendre ce qu'elle dit. Ses phrases sont crues, sèches, claquantes. Il n'y a pas de place pour l'espoir. Autant elle estimait que j'avais des chances de m'en sortir vivant alors que tout le corps médical me condamnait, autant, pour notre fils, elle ne laisse aucune place à l'espérance. Je n'en ai pas non plus. Les dernières lueurs se sont envolées quand mon médecin m'a demandé ce que je comptais faire. La seule décision que j'aie prise depuis huit mois prendra effet samedi prochain. Mon médecin m'accompagnera à l'hôpital pour faire l'injection létale à mon fils. Les produits sont chez moi, dans ma pharmacie, avec mes médicaments. Je les regarde deux à trois fois par jour. Je passe et repasse en revue toutes les possibilités, mais j'arrive toujours à la même conclusion.

Plus la situation empire, plus les stratégies pour empêcher ma fille d'aller voir son frère deviennent difficiles à mettre en œuvre. Moins elle va le voir et plus elle culpabilise. Plus elle culpabilise, plus elle se fait du mal et s'automutile. Chacune de ses visites est une expédition. Il faut que je m'y rende avant pour voir s'il est présentable, puis je vais la chercher. L'avantage des hôpitaux est qu'ils sont réglés comme des montres à quartz et que je sais à quelle heure ils passent avec la morphine. Cela veut dire que quinze minutes après, il y a une petite heure durant laquelle il est presque paisible. Il faut arriver à ce moment-là et partir avant que la douleur ne lui déforme à nouveau le visage.

Samedi. Je mets dans ma voiture les produits pharmaceutiques et je me rends à l'hôpital. Avant d'entrer sur l'autoroute, je fais demi-tour. À force de me poser la mauvaise question, je suis arrivé à la mauvaise conclusion. Je ne supporte plus la souffrance de mon fils et j'ai décidé de mettre un terme à cette abomination. En prenant seul la décision, j'en commets une autre. La mère d'André a son mot et son avis à donner et je n'ai pas le droit de passer outre. Ce 8 août je rentre chez moi et j'explique à ma femme ce que j'ai l'intention de faire. Comme les mots ne viennent pas, je lui montre les produits et lui explique que j'ai pensé à tout. Durant toute la discussion, je ne pense qu'à l'heure qui avance et à mon médecin qui m'attend. Ma femme m'écoute et me regarde. Je connais ce regard, je sais ce qu'il veut dire. C'est un non catégorique, pas argumenté, sans possibilité de discussion. Comme chaque fois qu'elle impose son point de vue, ce qui est rare, elle le ponctue d'une sortie, d'une porte qui se ferme, d'un point final.

Je me rends à l'hôpital où mon médecin m'attend toujours. Il ne juge pas la décision de ma femme et me laisse seul avec André. Je pose ma tête sur son oreiller et je pleure. Je pleure d'être lâche et incapable d'assumer une décision. Je pleure de voir mon fils dans cet état, mais mes plus grosses larmes viennent du fait que je ne suis pas capable de faire ce qu'il aurait fait sans hésiter pour moi. Pour la première fois de ma vie je ressens la honte. Pas la gêne ou un trouble. Une honte qui sent et colle. Une honte qui se déverse dans mon ventre et me plie en deux. Une honte qui restera comme une dartre, visible et indélébile.

Je croise mes parents pour la première fois depuis deux mois. Hormis quelques coups de téléphone de routine, on ne se parle pas. Voir mon fils étendu depuis des mois leur est insupportable. Le toubib ne dit rien, mes parents m'en tiennent pour responsable. Je carbure aux médicaments à haute dose. La douleur ne cède pas. Elle me tient en éveil vingt-quatre heures sur vingt-quatre. L'image de mon fils est devant mes yeux. Je le vois partout, lorsque je roule, sur l'écran de télévision. La douleur physique se contrôle avec des stupéfiants. Pour la dépression, je sais que je dois aller voir un psychiatre, mais il n'y a qu'une seule personne à qui je fasse confiance pour parler de ce qui m'obsède. Ce psychiatre est associé avec ma femme et travaille dans le même cabinet. En me remémorant ce qui a fait de moi un homme, j'aurais aimé savoir que mon fils vivait des choses loin de moi. Peu de temps avant l'accident, je me surprenais à rêver qu'il fasse ses propres expériences. Ces expériences qui font d'un enfant un homme, ces épisodes qui construisent un homme, ces premiers moments sans la défense du père.

Les péripéties qui m'ont permis de me faire mes premières opinions en l'absence de mon père sont de nouveau là. Pour m'aider à remonter mes notes catastrophiques dans la langue de Goethe, mes parents m'envoyèrent à Stuttgart. Je frappai à la porte d'un appartement au troisième étage d'un immeuble cossu du centre-ville. Une femme superbe m'accueillit et me montra ma chambre où elle avait rangé mes affaires. Pour me mettre à l'aise, elle m'invita à dîner dans une pizzeria et mélangea savamment l'allemand et le français durant toute la soirée. Vers dix heures et demie, elle grimaça et m'expliqua qu'elle devait rentrer chez elle.

Je la suivis et, ne sachant plus quoi dire, je me retirai dans ma chambre. Vers onze heures moins le quart, on sonna à la porte. J'entendis un homme parler et se rendre dans la chambre à coucher de mon hôtesse. Vers onze heures dix, il quitta l'appartement et fut remplacé par un autre homme, beaucoup plus rapide, vers onze heures vingt.

Le lendemain matin, j'entrai timidement dans la cuisine.

– Tu as bien dormi ?

– Oui.

– La sonnette ne t'a pas dérangé ?

– Non.

– Tu veux me poser une question ?

– Non. Oui... Je ne sais pas comment... Vous êtes une péripatéticienne...

– Je ne suis pas une fanatique de la définition d'Aristote. Je suis une pute !

– Je ne voulais pas dire ça.

– On dit une pute. C'est comme ça que je gagne ma vie.

– Ah.

Elle leva des yeux tristes et me regarda.

– Avant j'avais un bon travail, chez Mercedes. Les cadres passaient leur temps à me tripoter et à essayer de me faire chanter pour me mettre dans leur lit. Tant qu'à faire, je me suis dit que je pouvais gagner en un mois l'équivalent de mon salaire annuel en faisant ce que tout le monde voulait que je fasse. Sauf que maintenant, c'est moi qui décide quand et avec qui je le fais.

– Ah.

– J'ai bien aimé le dîner d'hier. Si tu veux, jeudi soir on remet ça, dans un restaurant allemand.

– Soit.

Pendant deux jours et les heures de cours, je tournai et retournai dans tous les sens ce que m'avait dit mon hôtesse. Cela ne collait pas avec ce que mon père m'avait expliqué du monde. Durant tout le séjour, elle me montra la ville, parla avec moi des heures et me donna envie de traduire les livrets de Wagner. Elle était vive, intelligente et affûtée. Cultivée et pleine d'esprit, elle suscita mon désir de comprendre les Allemands et leur culture. Elle réussit même à me faire découvrir, un soir dans une salle de concert bondée, un groupe de rock de Cologne dont j'appris les textes par cœur, ce qui me sauva lors des examens et me valut la meilleure note à l'oral. Je récitai un texte sur la Nuit de Cristal sans avoir jamais su quelle était la question. Pour me féliciter, elle m'invita à dîner.

Le soir, le repas se passa comme dans un film romantique. Vers minuit, je laissai cette femme magnifique entrer dans mon lit, me déshabiller et me faire l'amour comme jamais personne ne me l'avait fait auparavant. Dans l'ascenseur de l'immeuble, elle m'avait pris dans ses bras et m'avait embrassé avec une telle fougue que j'avais éjaculé violemment. Le passage par la douche m'avait évité la honte et donné l'impression de mieux me maîtriser avec les femmes.

Avant qu'elle n'ouvre les yeux, je tentai de retirer mon bras de sous ses reins et m'habillai.

– Je dois aller à l'école.

– Je sais.

– Je ne voulais pas vous réveiller.

– Ce n'est pas grave. Tu peux me tutoyer.

– Ah !

– Ça va ?

– Oui.

Devant la porte, je me retournai et ne trouvai rien de mieux que de lui demander si je lui devais quelque chose pour la nuit.

Elle fronça les sourcils et secoua la tête. Elle recouvrit son corps avec les draps et se retourna.

– Mais non voyons, c'est compris dans le service. Tire-toi à l'école, tu vas être en retard.

La matinée me servit à me demander si j'avais dit une connerie.

Vers onze heures, je me levai et quittai le cours, convaincu que j'avais fait du mal à cette femme si douce.

Malgré les injonctions du prof, je sortis de l'école et me dirigeai à pied vers l'immeuble. Il fallait que les mots aient une place et que j'arrive à expliquer l'inexplicable. Je ne savais pas comment me justifier et n'avais aucune idée de la portée des paroles que j'avais prononcées. Elle n'était plus là et je repris le train le lendemain sans la revoir. Au moment de partir, je ne sus que faire de l'argent du loyer. À la place je laissai un mot sur le buffet à l'entrée : *Pardon, je n'avais pas compris.*

Durant tout le voyage, j'essayai de me convaincre que je n'avais pas écrit *compris* avec un « t ».

Mon père m'attendait sur le quai et me trouva changé, l'air un peu fatigué. Lorsqu'il me demanda de tout lui raconter en détail, ma mère éclata de rire, mit sa main devant un œil en forme d'objectif et cria :

– Silence, on tourne.

Je ne dis rien, hormis quelques banalités. Personne ne voulait de la vérité, la fiction leur allait tellement mieux.

J'ai mis deux heures pour raconter cette histoire à mon fils et je regrette qu'il sache si peu de choses sur moi. Il arrivait à l'âge où l'on peut comprendre que même son père fait des âneries, des choses à côté de la plaque. Avant de sortir de la chambre, j'essuie les larmes qui coulent sur mes joues. Je viens de me rendre compte que mon fils ne profitera jamais de ce que la vie m'a enseigné. Je pleure parce qu'il ne me racontera pas ce qu'il vit et ne fera rien de ma propre expérience. Et tout ce que je lui ai donné durant toutes ces années l'a été dans l'espoir que lui-même en ferait autant avec ses enfants. Pendant le trajet je me demande à qui pourra bien profiter mon existence. En temps normal, ce que l'on vit ne sert à rien ; l'enfant fera ses propres expériences et en tirera ses propres leçons. Je raconte les miennes à mon fils et c'est totalement inutile. Je lui parle des femmes, du respect, je lui dis de faire attention, de ne pas croire qu'il y ait deux femmes identiques.

Alors que je fume cigarette sur cigarette dans les couloirs en attendant la commission d'éthique, ma femme arrive directement de son travail. Moi je suis resté couché. L'idée que ce soit d'autres personnes que sa mère ou moi qui décident de la vie de mon fils me déprime. La veille, ma femme, qui a déjà eu affaire à cette commission, m'a briefé, parlé des heures durant et supplié de coller mes grandes phrases vindicatives au rayon des artifices inutiles. Le couple qui se présente arrive avec une demi-heure de retard. Comme de bien entendu, un des deux médecins a fait ses études avec ma femme et la tutoie. L'homme parle et la femme prend des notes. Durant plus de vingt minutes, le règlement et les lois suisses sont passés en revue. Les possibilités de sortir de ce cauchemar doivent se faire dans les règles, en suivant le calendrier. Pour la première fois depuis huit mois, ma femme s'écroule et perd le contrôle. Les larmes ne s'arrêtent plus. Elle parle pour la première fois de ce qu'elle ressent et sa souffrance devient la mienne. J'en fais de la rage. Tout ce que j'ai suspecté ou pensé être le fruit de mon imagination est explicité, mis en phrases et je déglutis difficilement lorsque je comprends que les mensonges et omissions des médecins depuis l'accident ne sont pas les fruits de ma paranoïa ou de mon sens de l'exagération. La représentante de la commission continue à prendre des notes et l'homme à parler. Je lui demande s'il a vu mon fils. Il me répond que non, mais qu'il a lu le dossier. Je recommence à jouer avec la dialectique pour voir si j'arrive à faire sortir de ses gonds cet homme qui, en cet instant, représente tous les dysfonctionnements hospitaliers. Il me faut sa peau. Mes phrases claquent, je sors tous les exemples de mensonges et d'omissions qui ont été faits depuis l'accident. J'appuie lourdement sur les conséquences de ces omissions sur ma famille, notamment sur ma fille ou ma mère, lesquelles s'accrochent à deux phrases du chirurgien comme une huître à son rocher.

– J'entends bien, mais il faut que vous compreniez quelque chose. Votre fils va mourir. Je ne peux pas vous dire quand, cela peut prendre trois mois comme dix ans. Vous avez raison, les douleurs ne sont pas ou plus contrôlables. Vous avez encore raison quand vous dites que votre fils perd toute dignité et que vous n'avez plus votre place de père de cet enfant. Mais vous oubliez une chose. Votre fils est le patient d'un service qui existait avant et qui existera après sa mort. Nous avons parlé avec le personnel du service ; la moitié pense comme vous et trouve qu'il est honteux de le maintenir en vie. Une autre petite moitié pense, pour des raisons différentes, que votre fils doit attendre son heure et ceci quelles que soient les souffrances qu'il endure. Il faut que vous vous enleviez de la tête de l'aider à partir. C'est un délit dans ce pays et si vous ne changez pas d'attitude, nous vous interdirons l'accès à la chambre de l'enfant. La seule issue possible est que vous attendiez qu'une année complète se soit écoulée depuis l'accident. Vous aurez alors le droit de demander qu'il n'y ait plus d'acharnement thérapeutique et vous réclamerez par courrier qu'aucune réanimation ne soit pratiquée sur votre fils. Vous ferez savoir expressément que seuls les gestes thérapeutiques pourront être pratiqués sur votre enfant. Une semaine après, vous nous apporterez une autre lettre, signée des deux parents, demandant que la nourriture, qui ne fait pas partie des soins thérapeutiques, lui soit enlevée. À partir de ce moment, et pour peu que personne ne fasse opposition à votre demande, votre fils partira. Nous ferons en sorte qu'il ne souffre pas.

Je n'arrive pas à formuler une phrase. J'essaye de savoir si j'ai bien entendu. Ma femme demande combien de temps cela prendra. L'infirmière lui répond que selon son expérience, cela peut prendre entre trois et quinze jours, peut-être trois semaines. Elle termine sa phrase en lâchant qu'elle n'a jamais vécu cette situation avec un jeune homme. Il peut tenir un mois, en fait elle n'en sait rien. Le médecin du service me dit qu'elle me comprend et que si c'était son fils, elle penserait comme moi, mais elle n'a pas d'enfant. Le second médecin, d'origine yougoslave, sort une phrase qui indique seulement sa peur de ne pas voir son contrat renouvelé. Elle lâche en l'air, sans me regarder, que les lois d'un pays doivent être respectées, quelles qu'elles soient. J'ai envie de vomir. Ma main me fait mal et il faut que je reprenne plusieurs fois de la morphine devant la commission d'éthique. Le silence est pesant. Tout est dit. Mon fils est le patient d'un service qui doit survivre à la mort d'un enfant malgré ses dysfonctionnements. Les théories sur les soins palliatifs restent bien morales dans les livres, mais ne résistent pas à la pratique dès qu'il y a plus de trois intervenants. Parmi le personnel soignant qui s'est opposé à la mort de mon fils, il y a une dame, que j'apprécie, qui a pour seul argument que son gosse est né le même jour que le mien.

Je n'essaye même pas de la convaincre, elle sait mieux que moi ce que doit endurer mon enfant. Sa décision n'est pas sujette à discussion. Je profite de l'arrivée de mon père pour quitter l'hôpital. Il doit me connaître car durant les quinze secondes où je salue ma mère, il essaye de placer neuf questions auxquelles je ne réponds pas.

Ma fille ne gère plus rien, sa vie part en charpie. Impossible de se rendre compte de l'importance d'un frère dans une fratrie avant sa disparition. Ma fille nous donne les clés de sa relation avec son frère. Un mélange d'amour-haine et de dépendance. Elle peut fonctionner quand elle a son frère pour lui indiquer les limites lorsqu'elle est en dehors de la maison. Il a un rôle de guide, de garde-fou et de mentor.

Avant l'accident, on aurait dit chien et chat.

Depuis que son frère est sur un lit d'hôpital, elle ne dort plus dans son propre lit, n'arrive plus à se contrôler et se laisse marcher dessus par n'importe quel petit caïd de l'école. Je prouve à ma femme qu'elle vole dans nos porte-monnaie en lui montrant le relevé des cartes de crédit qui prouve qu'elle a acheté quatre portables en une matinée, un samedi. Elle achète sa tranquillité à coups de téléphones et ceux qui les acceptent se chargent bien de lui rappeler que si elle n'obtempère pas, elle devra se défendre toute seule. Elle n'arrive pas à voir son frère et culpabilise de ne pas y aller. Elle retourne sa rage contre elle et se fait du mal. Elle utilise des lames de rasoir pour se scarifier les bras et parfois pire. Ma femme recoud les plaies et essaye de lui trouver le meilleur soutien, sans prévenir les assurances pour ne pas hypothéquer son avenir. On change de praticien chaque fois que le pronostic est mauvais. En tant que médecin, ma femme est d'un naturel réaliste. Que sa fille soit suicidaire et qu'on n'y puisse rien lui est insupportable. Contrairement à son habitude, elle n'accepte pas que son enfant puisse avoir une défaillance psychiatrique. Chaque fois que j'essaye de parler avec ma fille, ce n'est que pour dire des banalités. Je n'arrive pas à croire que certaines choses soient définitives, mais je sais que l'adolescence est une période vitale pour la construction psychologique d'une jeune fille. Tout ce qu'elle va vivre et ressentir revêtira un parfum d'inoubliable et c'est en cette période que celui qui lui est le plus nécessaire est absent, couché sur un lit d'hôpital, silencieux et immobile. Je fais de mon mieux mais je ne lui sers à rien. Elle rejette tout ce qui vient de moi et m'agresse dès le matin. Tous mes efforts sont vains, hormis lorsque je simule une panne de voiture pour lui éviter de voir son frère. Nous savons que la moindre pression et la vision de son frère l'amènent à se mutiler.

À défaut de l'empêcher de se faire du mal, j'appelle le numéro que le grand avocat m'a donné. Je me recommande de lui à la standardiste et j'obtiens un long silence. L'annonce de sa mort a été faite le matin. Je présente mes excuses et ai presque honte d'expliquer mon cas. L'avocat a une voix franche et claire. Il prend les renseignements nécessaires et me donne un rendez-vous dix jours plus tard, le temps pour lui de lire le dossier et de prendre connaissance de toutes les pièces. Je ne comprends toujours pas pourquoi j'ai besoin d'un avocat et pourquoi un juge s'en mêlerait, mais comme ne rien faire me pèse, je décide que ce coup de téléphone sera l'activité de la journée. Je note le rendez-vous, me rends compte que je n'en ai pas d'autre sinon avec mon médecin, et vais me coucher pour ne plus penser.

Le surlendemain, l'avocat me rappelle et me demande toutes sortes de certificats. Le juge d'instruction n'a encore rien fait, car les papiers des médecins ne lui permettent pas de faire la différence entre une blessure grave et un petit coup sur la tête. Le médecin ne s'est pas foulé, la lettre est tellement vague qu'elle pourrait s'appliquer à une petite tape sur la calebasse donnée dans un préau d'école. Le juge d'instruction prend Paul pour Jean et mélange allégrement les responsabilités. Le premier juge s'est fait démettre de l'affaire parce qu'il se sentait trop impliqué et le nouveau est un auxiliaire qui n'exerce comme juge que le lundi matin. J'envoie les lettres que me demande mon avocat et je reçois en retour les réponses que j'attendais. Tout le monde m'assure de sa sympathie et fera en sorte que le dossier soit traité avec tout le sérieux possible. Les formulaires types me collent une trouille incontrôlable et ma femme me reproche ma façon de dépeindre la vie en noir. Je termine la journée dans mon lit et ne sors de ma chambre que pour aller vomir.

Il me manque les personnes qui m'ont permis de me construire. Certaines sont trop loin, d'autres sont mortes. Je fouille dans mes souvenirs pour en retrouver qui m'aient forgé. Vacances d'été avant l'entrée à l'école des grands.

Le départ en direction du sud donnait lieu à des séances burlesques qui contrastaient étrangement avec la cohésion parentale habituelle. Ma mère tentait de faire les valises alors que mon père enlevait des vêtements pour y placer encore quelques livres. S'ensuivaient des séances de cris, des disputes sur l'utilité de certains costumes, puis, lorsque la discussion virait à l'aigre, le français cédait le pas à l'italien, pour tenir les enfants à l'écart des désaccords parentaux. Sauf que, sans pouvoir le parler, je comprenais la langue de mes parents et mémorisais, sans m'en rendre compte, tous les mots grossiers et les expressions triviales.

Tôt le matin, nous nous entassions dans la voiture pour huit heures de route, péplum hallucinant où tous les dieux de l'univers devaient se donner la main pour que nous arrivions à bon port dans un véhicule en un seul morceau. N'importe quel pilote aurait défenestré son navigateur, même à dix mille mètres d'altitude, pour une seconde de silence, ou crashé l'avion pour accéder au silence éternel.

La discussion, pendant les deux tiers de la première partie du voyage, portait sur la vitesse excessive, l'itinéraire à suivre, l'embranchement de droite plutôt que celui de gauche, le nombre de camions, le plein à telle ou telle station. Bref, seul un miracle permettait d'arriver à Pise, ville natale de ma mère, sans que mon père ne claque un fusible.

Mes grands-parents maternels habitaient une immense maison de maître qui puait l'eau stagnante. Dès l'arrivée, mon père entrait dans un mutisme étrange et ma mère passait du temps avec la sienne. Se nouaient à l'intérieur des drames auxquels les enfants n'étaient pas conviés. On leur demandait d'aller jouer dehors, dans l'immense jardin du grand-père, entre le potager et les figuiers, la ferme de la propriété et le fleuve au nom d'urinoir qui serpente toujours à quelques kilomètres de la maison. Mes tantes arrivaient avec leur progéniture et celles qui en avaient un trimbalaient leur mari. La sœur aînée de ma mère avait deux fils jumeaux beaucoup plus âgés que mon grand frère et moi, et pas d'autre homme dans sa vie. Elle fumait comme une vieille locomotive et affichait déjà les stigmates d'un cancer qui l'emporterait quelques années plus tard à une vitesse foudroyante. Elle avait une voix rauque, m'appréciait plus que ses autres neveux, et me l'exprimait de façon étrange. La seule phrase d'elle dont je me souviendrais est qu'elle voulait me « bouffer les fesses » et qu'elle éclatait de rire en laissant sortir des volutes de fumée, dans un râle qui en disait long sur l'état de ses poumons.

Les journées passaient lentement sous le soleil de la Toscane, entre bêtises, bagarres et punitions. Dans cet univers étrange où chaque armoire contenait une série de cadavres, je pouvais me laisser un peu aller. Malgré de nombreuses explorations, je ne sus jamais le nombre de pièces que comportait la maison. Elle avait été modifiée, au gré des revers de fortune, mais gardait des traces mélancoliques d'une richesse passée et les stigmates de la vieillesse de ses habitants. Ce qui avait été les salons était devenu des chambres pour éviter l'immense escalier qui menait à l'étage. La chambre dans laquelle je dormais avec mes deux frères, dans des lits qui tenaient plus de la baignoire que du matelas, était juste sous l'horloge qui martelait l'heure, la demie et le quart ; en trois sonorités différentes. Située à trente mètres de haut au-dessus de l'entrée d'un seul tenant, la cloche aurait réveillé n'importe qui, n'importe quel mort et les premières nuits servaient à m'apprendre à compter jusqu'à douze, douze un quart puis douze et demie.

Ma mauvaise compréhension de l'italien faisait que les engueulades de mon grand-père ou de ma mère, qui soudainement oubliait le français, sonnaient comme de la musique baroque, ou parfois du Vivaldi quand ma tante et ma mère m'enguirlandaient en chœur parce que j'avais laissé s'échapper toutes les poules du paysan qui travaillait sur les terres de mon grand-père.

Mon grand frère me construisait rapidement une fronde, avec des élastiques tellement puissants que j'arrivais à tirer sur un lézard venimeux à plus de cinquante mètres. Avant que l'arme ne fût maîtrisée, les vitres, les tuiles et les pigeons firent les frais de mon apprentissage. Quand je passais les bornes, c'est-à-dire quotidiennement, ma mère m'envoyait ses chaussures à la tête. Par manque d'entraînement, elle ratait neuf fois sur dix sa cible et se payait aussi quelques vitres.

Le vitrier passait régulièrement durant notre séjour et ne manquait jamais de me glisser quelques bonbons ou des pièces de monnaie, même si je ne comprenais pas un traître mot du dialecte de cet artisan habile. Je garderai l'image respectueuse d'un vieil homme qui coupait, aux ciseaux, du verre trempé dans un bac d'eau et qui le fixait aux fenêtres avec du mastic qu'il lissait au doigt avec sa salive. Le travail fini, lorsque mon grand-père lui offrait un verre de blanc, ma grand-mère disparaissait dans sa chambre. Ces moments de discussion, son chat noir sur les genoux, avec des ouvriers qui lui parlaient avec respect sont mes seuls souvenirs de mon grand-père maternel. Sous la pergola, je regardais mon père et mon grand-père discuter avec un ouvrier des difficultés de son métier. Le professeur d'université posait des questions et écoutait les réponses avec un sincère intérêt pour le travail manuel, alors que lui-même n'était pas capable de planter un clou dans un mur.

Le soir, sous cette même pergola recouverte de vigne vierge, ma mère et ses sœurs discutaient ou écoutaient leurs parents. Souvent, la discussion s'envenimait, mais je n'arrivais plus à suivre le débit. En découlait une sorte d'opéra bouffe qui sentait l'Italie. Jamais personne ne m'expliqua le drame qui se jouait, et comme la plupart des mélomanes, j'appréciais le spectacle sans en comprendre le livret.

Mon grand-père maternel suivit rapidement sa femme dans la tombe. Ma tante la plus âgée partagea sa part d'héritage entre ses deux enfants pour qu'ils puissent faire des études pendant que la mort l'achevait consciencieusement.

J'appris le décès de mon grand-père et de ma grand-mère de la bouche de mon père, alors que ma mère était censée être en vacances. Pour ce qui est de la sœur de ma mère, je ne le sus que quelques années plus tard.

Nous n'allions plus à Pise. Mon père associait cette maison aux cadavres et à la mort. Ma mère resta longtemps couchée, sans que le mot « dépression » fût jamais évoqué. Je pleurai mon grand-père quelques secondes, plus par tristesse d'avoir été considéré comme un petit, et ne compris que dix ans plus tard que ma grand-mère maternelle avait forcément existé et qu'elle avait obligatoirement été la mère de la mienne.

Obstinément, durant les trente années suivantes, je m'efforcerais de ne me souvenir que des bons moments passés dans cette maison qui sentait la fin d'une époque et je scotomiserais toutes ces choses qui salissent l'enfance. À cause de mon père, j'essayerais de trouver normaux et logiques les sordides histoires d'héritage et les procès entre personnes de la même famille, sans pour autant m'octroyer le droit de juger et sans avoir le début d'une solution pour y échapper, hormis le feu et la taxation au maximum des biens reçus en héritage.

Du côté maternel, seul mon grand-père me laissa un souvenir. Parce qu'il avait de longs cheveux blancs et une barbe de père Noël. Je porte comme deuxième prénom celui de mon grand-père maternel : Ugo. Sauf que sur mes papiers suisses il est écrit « Hugues » et que cela sonne comme un cri de mômes qui jouent aux cow-boys et aux Indiens.

La mémoire a des méandres et ce qui s'y fixe tient encore du mystère. Je me souvins longtemps que mon père se réfugiait aussi souvent que possible dans le jardin, laissant sa femme à ses règlements de comptes.

Un après-midi, alors que tout le monde faisait la sieste, j'étais couché sur une branche de figuier et demandai à mon père pourquoi ma mère avait crié contre ses sœurs le matin. Mon père referma son livre sur sa main et marqua une pause, comme il savait si bien le faire.

– Bien, tu sais... je vais essayer de t'expliquer sans entrer dans les détails... Ce sont les Italiens qui ont inventé le western spaghetti. Tu es trop petit pour comprendre *Le Bon, la Brute et le Truand*. Ça viendra, tu verras.

– Mais il n'y a pas de femmes dans les westerns.

– Dans certains. En fait, les cinéastes italiens ont simplement regardé leurs familles et transposé les situations. À la place des cris, ils ont mis des revolvers. Tu sais, à l'époque des cow-boys, il n'y avait pas encore ces pistolets à six coups que tu aimes tant. Ce matin, c'était *Il était une fois à Pise*. Demain elles nous feront *Le train sifflera trois fois* ou peut-être *Qu'elle était verte ma vallée*.

– Pourquoi tu ne leur parles pas ? Pourquoi tu ne dis rien ? Toi, si tu parles, elles se tairont. Même Marylou t'appelle « professeur » et Pépé aussi.

– Ici ça ne veut pas dire grand-chose. Ta tante le fait pour se moquer de moi parce qu'elle est d'extrême gauche et qu'elle pense que les professeurs d'université sont les valets des méchants capitalistes, et ton grand-père n'a aucune idée de ce que j'enseigne. En plus, elles parlent de choses qui m'indiffèrent.

– Toi ?

– Oui. Pourquoi ?

– Parce que tu sais tout. Tu as lu plein de bouquins, t'es le prof de mes profs. Tu ne peux pas ne pas savoir. Si toi tu ne sais pas, y a personne qui sait. En plus, quand tu expliques les choses, personne se fâche et personne dit le contraire. C'est pas comme moi. Dès que je l'ouvre, je prends une claque.

Mon père éclata de rire et posa son bouquin sur l'étude des masses ouvrières dans les villes industrielles du nord de l'Italie.

– Tu sais, quand tu lis un livre, si tu ne lis pas le début, tu n'as aucune chance de comprendre la fin. Lorsque ta mère parle avec ses sœurs, même si elles parlent de l'ail dans le poulet, elles règlent des comptes qui datent de quand elles étaient petites. Donc c'est totalement incompréhensible. Tu comprends ?

– Non. Pourquoi elles parlent du poulet et pas de quand elles étaient petites ? En plus, on s'en fout du poulet. Ceux qui n'aiment pas l'ail ont qu'à pas en manger et ceux qui aiment en prennent deux fois. En plus, le poulet bouilli c'est dégueu, avec ou sans ail.

– C'est plus compliqué que ça.

– Bon, ben explique.

– Je vais essayer. Imagine que Nicola ait fait du mal à ton lapin et lui ait coupé les oreilles. Aujourd'hui, tu te fâcherais et tu lui sauterais à la gorge, d'accord ?

– Et comment !

– Bon. Si on t'empêche de lui sauter dessus, dans trente ans tu ne pourras pas lui sauter à la gorge à cause du lapin. Par contre tu n'auras pas oublié le lapin, mais tu te sentirais ridicule de lui en parler. Alors n'importe quoi deviendra prétexte aux règlements de comptes.

– Alors on parlera du poulet bouilli ?

– Le poulet, c'était un exemple. Ça peut être la

politique, l'éducation des enfants, la coiffure de ta mère, n'importe quoi.

– Mais c'est complètement con. En plus, elles n'ont plus besoin du lapin. Elles peuvent s'en payer un ou le piquer à leurs enfants ?

– Mais c'est comme ça. Et on ne peut rien y faire.

– Mais toi, tu ne t'engueules jamais avec tes frères ?

– Ce n'est pas la même chose. C'est presque mes fils. Je suis plus vieux qu'eux. Quand ton oncle Nino a fait médecine, mon père était déjà à la retraite et c'est moi qui ai payé ses études, comme un père. Et tu sais que je n'aime pas crier.

– Des fois tu cries sur moi, ou sur Nicola !

– Parce que je vous aime et tu verras qu'avec tes propres enfants tu seras différent. Vous êtes la plus belle chose qui me soit arrivée. Mes trois garçons sont les seules raisons qui valent que je me mette en colère, parce que ce n'est pas seulement ma tête qui parle. Vous êtes la seule raison qui me donne envie de me battre, la seule cause. Pour le reste, les autres choses, il ne sert à rien de crier.

– C'est quand qu'on descend voir Nettina ?

– Lundi.

– C'est bien.

– Pourquoi, tu n'aimes pas être ici ?

– Non. Ce n'est pas des gens comme nous. Chez tes frères, on est dans ma famille. En plus je pourrai aller faire du foot avec Roberto.

– Tu sais qu'il a changé d'équipe et qu'il est devenu professionnel ?

– C'est le meilleur. Professionnel ?… de Dieu ! Il va jouer avec Zof.

– Si tu le dis. Je n'y connais rien en foot.

– Et il y aura Nettina.

– Tu l'aimes bien !

– Plus que ça. Je l'épouserai dès que je pourrai. Elle sauve des enfants et ne m'a jamais crié dessus. Je suis sûr que c'est un ange venu du ciel. T'as vu ses mains ? Elle a des mains longues et fines, toutes douces. Et elle ne met pas de la peinture sur ses ongles. Quand elle m'embrasse elle ne sent pas la vieille femme, elle sent comme les orangers de Mémé.

Mon père rigola sans se moquer et replongea dans son livre.

– Y a pas de quoi rire. Elle m'épousera, c'est sûr. Elle m'attend, elle aussi. Et tu pourras pas dire non, car quand tu discutes avec elle, tu dis pas non.

– Comment tu le sais ?

– C'est la plus belle femme du monde. Si elle ne m'attendait pas, elle serait déjà mariée.

– Comment tu sais de quoi on parle ?

– Je comprends et tu réponds souvent « *si* ». Ça veut dire oui. C'est donc que t'es d'accord avec elle. Donc elle a raison. Elle ne dit que des choses vraies.

– Tu ne doutes de rien.

– Tu sais, elle m'a dit qu'elle m'aimait. Elle m'a aussi dit qu'il faut que je me fasse des gargarismes avec de l'eau salée pour protéger mes dents, mais je ne l'ai pas fait tout le temps.

– Elle te l'a dit l'année passée parce que tu avais un abcès dentaire, mais c'est une bonne idée.

– Tu ne lui diras pas que je l'ai pas fait tous les jours, promis ? Sans quoi elle ne m'épousera pas.

Quand mon père approuvait tout en bloc, cela signifiait que la discussion était finie et qu'il voulait lire.

– Promis ?

– C'est promis.

Je le regardai avaler les pages, mangeai une figue pas encore mûre, malgré le lait amer qui colle des aphtes.

Le lundi matin, nous partîmes vers le sud. Les adieux furent chaleureux, mais brefs. La grand-mère pleurait et abrégea les effusions. Je ne la revis plus jamais. Personne ne m'avait expliqué qu'elle était malade, personne ne m'avait dit qu'elle était plus jeune que son mari, personne ne m'avait raconté l'histoire de cette famille, au nom de la sacro-sainte protection des enfants ou de l'idée préconçue qu'ils n'ont pas, dans leur bagage, de quoi comprendre.

Durant les quatre derniers jours, j'avais accumulé toutes les conneries possibles et imaginables. Plusieurs vitres cassées, toutes les betteraves du potager de mon grand-père apportées à la cuisine, j'avais libéré le chien du paysan qui s'était précipité pour mordre le facteur, et j'avais arraché un bon bout de scalp à mon cousin en le traînant par les cheveux dans les escaliers de l'entrée qui devaient bien compter septante marches de pierre grise. J'avais un bleu sur le front, marque de godasse volante que j'avais tenté d'éviter. Si j'avais fait comme d'habitude, la godasse se serait payé le vaisselier. À croire que ma mère visait mal exprès.

La seconde partie du voyage allait plus vite, même si la distance était plus longue. Au fur et à mesure que Naples approchait, l'excitation montait, comme la chaleur. Les odeurs devenaient sèches, les villes moins riches. Nicola jouait avec ses voitures, Marco dormait dans un couffin et j'essayais de trouver une façon de m'asseoir pour que le lance-pierre que m'avait fabriqué mon frère ne m'arrache pas un testicule. Rescapé de la fouille maternelle, la fronde allait servir à tuer tous les méchants, et surtout, j'avais la ferme intention de la rapporter à Genève. Une arme capable de faire sonner les cloches de l'église du village maternel – au point que le curé sortait dix fois de suite en se demandant si le bon Dieu avait perdu sa montre – valait toutes les souffrances du monde et devait être protégée de ma mère qui ne voyait que les dégâts possibles de la fronde et non pas ses nombreuses utilisations. C'était sans compter avec le génie de ma grand-mère paternelle qui la fit rapidement disparaître, et ce, sans que je m'en rende compte.

L'excitation arrivait à son comble lorsque la voiture passait le tunnel sous le palais royal de Caserte. Signe que ma grand-mère n'était plus loin. Le décor était totalement différent. Les sons surtout. Des gens partout, du bruit et du linge aux fenêtres, suspendus entre les immeubles au-dessus des rues pavées de plaques de lave noire sur lesquelles la voiture helvétique risquait de se disloquer si mon père dépassait les trente à l'heure. Je devais me taire encore un peu, attendre que Nettina soit présente pour me protéger de ma mère qui rêvait de me coller une claque depuis huit cents kilomètres. Je devais avoir posé cent fois la même question.

Mon père avait tenté d'y répondre, certes pas de la façon qu'attendait ma mère.

– Pourquoi il y a les initiales de Pépé sur la grande table dehors ?

– Parce que ta grand-mère maternelle vient d'une famille qui avait des titres de noblesse.

– Elle les a perdus ?

Ma mère donnait sa version des faits et récrivait l'histoire. Mon père donnait des explications plus historiques et économiques. Certaines métaphores sur les fins de race blessaient l'orgueil de ma mère qui, pourtant, arrivait à être d'une férocité sans borne pour sa famille mais ne supportait pas que qui que ce soit en fasse la moindre critique, hormis elle-même. Elle partait alors pour de longues diatribes explicatives, racontait ses souvenirs de la guerre, de la perte de la vaisselle en porcelaine des grands jours, vestige d'un passé glorieux, d'une petite noblesse qui n'avait pas survécu à l'industrialisation. Mon père avait une autre version des faits : cultivé et viscéralement de gauche, il ne voyait pas la déchéance de la famille de sa femme sous le même angle. S'ensuivaient de longues joutes oratoires d'où ma mère sortait perdante. La culture et l'objectivité contre les souvenirs et l'attachement à des valeurs désuètes sont un combat inégal. Mon père gagnait avec panache, gentillesse et arguments en béton armé. Trop intelligente pour justifier l'injustifiable, ma mère boudait un peu sur la fin du voyage. Dans la voiture, réduire l'histoire à la vérité revenait à la réduire à néant.

Lorsque la voiture se garait dans la rue, je me précipitais dehors et regardais partout, humais l'air et attendais le moment unique où mon père allait hurler en pleine rue le nom de sa mère pour qu'elle lui fasse descendre au bout d'une corde un panier dans lequel se trouvait la clé de la grande porte d'entrée de l'immeuble. Moment précieux et unique, qui valait bien une année d'attente. Entendre mon père hurler « Mama ? » plusieurs fois. Preuve s'il en fallait qu'il était capable de crier. Mais de toute mon enfance, il n'y a que dans la via Tannucci que j'ai entendu ce son.

Ma grand-mère n'avait pas d'âge. Elle souriait en nous voyant arriver après les quatre étages sans ascenseur et embrassait tout le monde. Malgré tous mes efforts, je n'arrivais pas à chambouler l'ordre d'entrée dans le sanctuaire familial. En premier mes parents, puis les enfants en fonction de leur âge. Mon petit frère dans son couffin avait un passe-droit.

Après une accolade avec mon grand-père paternel et assuré que Nettina n'était pas encore là, j'avais le temps de disparaître dans les toilettes pour aller me gargariser durant une heure, expiation de tous mes oublis de l'année. Ma mère avait beau cogner à la porte, je n'ouvrais pas. Perdu dans des pensées troublantes en regardant par la fenêtre la voisine d'en face dormir nue sur son lit, j'avalais une bonne partie du liquide.

Mon père calmait ma mère et, ma grand-mère, il m'avait surnommé « Tête d'ange, idée fixe ».

Ma mère organisait un peu les choses dans les pièces que nous occupions dans cet appartement en L.

Les enfants dormaient dans le bureau, les parents dans la chambre d'amis et mes grands-parents paternels avaient une chambre qui donnait sur la salle à manger. Au bout d'un couloir, il y avait le domaine de ma grand-mère : la cuisine. Elle y régnait en maîtresse absolue, préparant le repas du soir, le repas où tous seraient réunis. Elle passait d'un point à l'autre de la cuisine sans jamais manquer un regard ou une caresse pour chacun. Elle posait des questions que je ne comprenais pas et elle riait quand j'écarquillais les yeux de désolation. Elle me consolait avec des biscuits ou des *toronnes* fabriqués entre deux plats. Je la regardais faire comme on observe une magicienne, tentant de comprendre comment, en quelques secondes, on peut faire une sorte de bonbon avec du sucre et des amandes, simplement en jetant le tout dans une poêle. Il n'y avait plus qu'à attendre que ça refroidisse un peu pour aller s'y casser les dents.

À Caserte, ma mère me lâchait la bride, ma grand-mère et ma tante prenaient le relais. Nicola, qui comme il se doit avait le même prénom que mon grand-père paternel, vérifiait l'état de ses voitures. Marco gazouillait dans son landau, mon père parlait avec le sien, tandis que, dans un coin, ma mère écoutait en fumant une cigarette. Il ne restait plus qu'à attendre.

Chaque coup de sonnette à la porte était une fête. Mon cœur démarrait comme une batterie de Terry Bozzio. Généralement, Nino, le docteur et sa femme arrivaient en premier, puis le plus jeune de mes oncles, le flamboyant de la famille, le footballeur, celui qui n'allait plus à l'école et auquel je me raccrochais lorsque mes notes tombaient, annonciatrices de punition. Puis le coup de sonnette le plus doux, le plus attendu. J'avalais ce que j'avais dans la bouche, mélange de sel, de flotte et de dentifrice, et me précipitais vers la porte, espérant arriver le premier. Elle donnait un petit coup de sonnette et ouvrait la porte avec sa clé. Dans toutes les églises du monde, la mère de Jésus était à son image. Elle avait un port de reine et des yeux qui redonnaient vie aux pierres. Les salutations et embrassades suivaient l'ordre du clan et l'attente devenait interminable. Lorsque venait mon tour, je me blottissais dans ses bras et tentais de figer le temps. Je demandais aux dieux et aux diables qui voulaient m'entendre de me transformer en statue, de rester ainsi, tout contre elle. Dans un musée, ma mère m'avait certifié qu'un monsieur barbu avait plus de cinq mille ans. Cela me paraissait le temps nécessaire à me rassasier, à m'emplir de cette tendresse et de cet amour qui m'envahissaient jusqu'au plus profond de mes fibres. Comme je ne la lâchais pas, mon père y mettait un terme en posant la main sur mon épaule.

– Laisse-nous-en aussi un petit bout.

À contrecœur, je me détachais d'elle et devenais son ombre. Rapidement, le clan se retrouvait à table, premier repas d'une longue série pantagruélique. La disposition autour de la table faisait que j'étais assis à côté de la plus belle personne que le monde ait portée. Mon grand-père me regardait et ne m'adressait la parole que pour me dire : « Mange. » C'était encore un géant avec des cheveux noirs. Ancien maréchal des carabiniers, il avait une chevelure noire et de larges épaules. Lorsque ses garçons discutaient en rigolant, il ne parlait pas, sauf pour demander une clope à son médecin de fils qui les lui rationnait. Lorsque je le fixais, j'entendais : « Mange ! »

Nettina me glissait quelques regards doux et des caresses dans les cheveux lorsqu'elle débarrassait la table pour le plat suivant, en se gardant bien de montrer à son père que je n'avais pas fini mon assiette. S'insinuait lentement et définitivement le sens de l'accueil, le devoir de recevoir l'autre le cœur sur la main. Un simple plat de pâtes dans un immeuble ancien et décati devenait un repas royal dans le plus beau des châteaux, et lorsque ma mère m'intimait l'ordre d'aller me coucher, la fronde de

Nicola aurait volontiers servi. Mais c'est Nettina qui se chargeait de me mettre au lit et les baisers sur le front, avant que la lumière ne s'éteigne, calmaient mes envies de meurtre.

Généralement, Nicola sombrait rapidement dans le sommeil alors que je tentais de suivre tant bien que mal la discussion qui prenait un autre ton ; le ton de ceux qui ont une année de souvenirs à se transmettre. Des nouvelles de celui-ci, l'état de santé d'un autre. Pas de souvenirs du passé, juste une mise en commun des connaissances familiales.

Mais le sommeil m'emportait et le lendemain, devant un lait chocolaté suisse, il fallait décortiquer de nouveau ce qui était du domaine du rêve et ce que j'avais véritablement entendu.

Après quelques jours, comme tout le monde jouait avec la réalité et la vérité, je laissais mes rêves se mélanger à la réalité et petit à petit racontais mon année avec tout ce qu'il fallait pour que cela fasse rire et entretienne mon image de fou du roi de la famille. Plus mon père se plaignait de mes facéties, plus mes oncles riaient. Je pouvais enfin respirer et oublier les brimades de mes professeurs.

Lorsque le mois de décembre arrive, il faut rédiger la lettre. Aucun des termes à mettre dans cette lettre ne trouve l'approbation de ma femme. Je sens la rage m'envahir et l'envie de crier sur quelqu'un se fait de plus en plus forte. Cela doit bien faire trois ans qu'aucun éclat de voix n'a eu lieu. Et c'est mauvais signe. Notre rythme normal est de deux ou trois crises bruyantes par an ; en dessous de cela, je sais que mon couple bat de l'aile. Lorsque ma femme plie dans les discussions, c'est qu'elle s'éloigne et n'en a plus grand-chose à faire. Elle cède pour avoir la paix, alors qu'en temps normal elle ne recule pas d'un pouce. Durant des années, ce rituel me permettait de savoir où j'en étais dans ma relation avec elle. Ma maladie m'a conféré un statut particulier. Elle m'a passé beaucoup de choses sous prétexte que les médicaments modifiaient mon comportement et qu'elle ne parlait pas à l'homme qu'elle avait épousé. Avec le temps, l'habitude d'éviter l'affrontement est devenue un modus vivendi, une façon de fonctionner malsaine qui n'empêche en rien les rancœurs de s'accumuler. Mi-décembre arrive et la lettre est une série de compromis. Je fais de sa rédaction une priorité. Il faut qu'elle sorte maintenant de l'imprimante laser. Les mots sont choisis et ne choquent personne. Ma femme a certainement raison, mais je ne peux pas m'empêcher de trouver que les phrases et les demandes sont très en deçà de ce que je ressens. J'aurais fait des phrases affirmatives et des demandes claires, et il n'y a que des suppliques sur ce papier que je dois apporter et dont j'ai honte. Au jour demandé, la lettre est prête. Elle doit arriver le 17, et le samedi d'avant, un interne remplaçant a réanimé mon fils. Depuis, il respire mal et a pris une couleur violette. Il souffre et cela se voit, depuis plusieurs jours. Celui qui l'a réanimé n'avait pas d'instructions et l'infirmière s'est bien gardée de lui dire que nous ne voulions pas qu'il soit réanimé. Une chance sur deux et je tombe sur la mauvaise face. Mon père me téléphone tous les jours pour savoir pourquoi André respire comme un tuberculeux et pourquoi il est impossible de le toucher sans qu'il ne lâche des râles terribles. Il sanglote au téléphone et j'ai presque honte de l'avoir rembarré sèchement en lui faisant remarquer que le crétin de remplaçant du samedi soir n'aurait pas dû réanimer André. Mon père prend brutalement conscience que son petit-fils peut mourir. Il sait pourtant qu'il ne reverra plus André comme il était et que le gosse n'a aucune chance de sortir de cet état végétatif. Et pourtant il a peur de le voir mourir. Je me rends compte que cette idée le détruit, alors qu'une autre part de lui sait que l'enfant souffre au-delà de ce qui est acceptable. Comme pour le préparer, je lui lis la lettre et il raccroche sans me saluer.

Arrivé à l'hôpital, ce qu'il faut faire me paraît être, pour une fois, une évidence. Je sais où je vais. Tout le monde est à sa place. Ma femme et ma fille sont dans la chambre. Avant leur arrivée, le médecin a fait une piqûre à André pour que ma fille ne le voie pas souffrir. Personne ne supporte sa souffrance et personne ne l'accepte. La douleur est devenue intolérable mais personne ne fait rien. On la regarde de loin, on la nie, mais elle n'est jamais acceptée. Lorsque l'injection ne fait plus d'effet, ma femme incite ma fille à aller prendre un chocolat chaud. Elle me permet ainsi de rester seul avec mon fils. C'est un accord tacite entre nous. Sa souffrance est ma honte. Je m'allonge à ses côtés. Il respire mal. Il ne prend sa respiration que toutes les quarante secondes, mais il la reprend. Une première fois, j'essaye de l'empêcher de la reprendre en appuyant ma main sur son visage. Il inspire difficilement. Ma main couvre sa bouche et son nez. Mais l'air passe entre mes doigts. Il reprend de l'air. Je tends le bras pour attraper un gant en latex. Depuis des mois, tout le personnel infirmier ne le touche qu'avec des gants. J'en prends pour la première fois. Le gant est trop petit, mais en écartant les doigts je couvre la bouche et le nez. Le latex permet d'éviter que l'air ne passe. Il n'y a que dans les films que cela ne dure que quelques secondes. Le temps s'arrête, les larmes qui coulent à flots sont les dernières. De grosses larmes qui masquent un cri, je le serre dans mes bras et je le sens partir. Lorsque le médecin entre dans la pièce, André est mort dans mes bras. Mes larmes lui coulent dessus, mais il a l'air paisible. J'ai de la peine à le lâcher, je le retiens encore un peu. Un mélange de crainte de ne plus pouvoir le serrer dans mes bras et la peur que les médecins ne voient les marques sur son visage. Lorsque les deux médecins et mes femmes entrent, je me laisse glisser du lit. Ma fille voit son frère en paix, le visage paisible, calme, tel qu'il a toujours été. Rapidement il est préparé, un petit bout de plastique sous le menton en position de gisant de pierre. Les sentiments se percutent, s'entrechoquent. Entre la satisfaction de savoir qu'il ne souffrira plus et la certitude qu'on ne vivra plus rien. Un mélange d'angoisse et de panique, car je sais que je me poserai la question toute ma vie. Quelle est la part d'égoïsme dans cet acte ? Je suis certain qu'il l'aurait fait pour moi, mais dans quelle mesure n'est-ce pas moi qui ne supportais plus de le voir ainsi ?

Au bout de deux heures, les médecins le prennent en charge. Ils m'expliquent qu'ils doivent récupérer tout le matériel qu'ils ont introduit dans son corps, mais que lundi il pourra être enterré. Je ne veux pas de tombe, et c'est avec surprise que je réalise que la crémation ne me pose aucun problème.

En rentrant chez moi, je vois une femme se prendre le talon dans le rail du tram. Elle se retrouve par terre et se tortille. Le tram arrive. Je m'interpose avec ma voiture et au moment où je tourne la tête, je la vois dégrafer et enlever son pantalon. Le tram sonne de plus en plus fort, mais la femme est toujours coincée, couchée par terre. Je n'arrive pas à penser à autre chose qu'à la façon dont elle a mis ses chaussures pour qu'elle soit obligée d'enlever son pantalon si elle veut les retirer. Comme elle est à moitié nue, je ne bouge pas et ne réponds pas au conducteur du tram qui martèle ma vitre comme un fou furieux. La seule chose qui m'occupe l'esprit est la manière dont sont lacées les chaussures. Je n'arrive pas à m'enlever cette idée de la tête. Je reste comme un idiot et j'essaye de comprendre. Debout, la femme sort sa chaussure du rail et s'en va. Il me faut encore une minute et plusieurs coups de klaxon avant de pouvoir démarrer. Durant tout le trajet de retour, une pensée m'obsède. Comme si tous les événements de la journée n'avaient pas d'importance.

Le week-end passe lentement. Le samedi matin, nous apportons un de mes costumes aux pompes funèbres. André sera prêt lundi. Nous pourrons le voir trois heures avant la cérémonie au funérarium. Seuls les proches ont accès à la pièce réfrigérée. Le samedi, on décide de ce qui sera dit durant la cérémonie. Mon grand frère téléphone à mes oncles et propose que l'on passe le morceau de musique que j'ai composé il y a un an. Je choisis, sur le seul CD que mon fils se soit acheté, une chanson française. Le simple fait de l'entendre me rappelle tous les moments où il l'écoutait en boucle malgré mes critiques sur la qualité des textes de Kyo. Le disque sonne tout autrement. Pour la première fois je prête attention aux textes et j'essaye de comprendre ce qu'il pouvait bien y trouver. Je prends le morceau qu'il préférait et note la piste sur un bout de papier. Ma femme a accepté la présence d'un pasteur qu'elle a déjà vu officier. Il va se charger de la cérémonie, faire en sorte que les personnes qui doivent parler le fassent à tour de rôle, et s'occuper de la musique. Je tique sur le fait qu'il propose de réciter le Notre Père, mais il balaye mes scrupules en me faisant remarquer que c'est un texte universel.

Le lundi, je passe une heure à côté du cercueil en attendant la cérémonie. Elle se passe sans moi. Mon esprit ne se détache pas de la musique. Aucune idée de la durée, aucune impression, je suis comme tétanisé. En sortant, je serre plusieurs mains, beaucoup de gens me parlent mais je n'entends rien. J'aperçois Clinga. Je suis heureux de la voir. J'aurais aimé lui parler, mais elle est avec son nouveau compagnon qui reste à un mètre derrière elle. Il ressemble à une gravure de mode et, pour la première fois, la différence d'âge me saute à la figure. Les trois mots qu'il lâche sonnent faux et j'entends dans sa voix qu'il n'est déjà plus là. Je déteste ce genre d'impressions. Elles m'assaillent à n'importe quel moment. Je suis sonné. Ce que je ressens se mélange avec des pensées contradictoires. J'ai l'impression que beaucoup de choses ont été enterrées ce soir, même si Clinga ne le sait pas encore. Demain on me remettra une urne avec les cendres de mon fils. Un officier sera présent pour ouvrir le columbarium et l'on refermera quelques minutes après que l'on aura mis l'urne dedans. J'y place une météorite que j'ai trouvée au Canada. La vie de mon fils me paraît semblable à la chute de ce bout de ferrite. Rapide et fulgurante. Nous sommes trois devant la petite cavité où l'urne sera enfermée. Trois ; dorénavant il faudra que je m'habitue à ce chiffre. Lorsque l'officier remet la plaque, je sais déjà que je n'arriverai pas à m'habituer à cette nouvelle équation.

Plus rien ne me touche. Je passe des journées dans mon lit à me demander comment je vais faire pour dormir. Je tombe et je le sais. Je ne m'accroche même plus et je n'essaye pas de donner le change. Je sais qu'il ne sert à rien de faire semblant. Ma femme me lit comme un panneau routier et je n'ai plus le courage de faire semblant. Les amis se font rares et les bruits sont vite éteints. Les fidèles passent mais se retrouvent démunis. Les quelques moments où j'essaye de garder les pieds sur terre sont ceux où je tente de parler avec ma fille, de lui dire que nous ne pouvons pas nous laisser couler, que son frère ne nous aimerait pas comme nous sommes maintenant. Les lieux communs ne fonctionnent pas sur elle et a fortiori sur moi. Je ne crois pas à ce que je dis, car même si c'est ce qu'il faut dire, mes tripes jouent une autre musique. Comme si un accordéoniste intervenait dans l'air du pont de *Don Giovanni* en jouant *Les Mots bleus*. Je n'ai plus une musique à laquelle m'accrocher. Il y en a toujours deux ou trois et naturellement de celles qui ne sont pas dans les mêmes harmonies. Le chanteur de Muse sur un air de Bach accompagné par la chorale de Saint-Éloi n'a aucun intérêt et je me sens comme un fabricant de *world music* bidouillant des morceaux en les prenant au hasard sur Internet. Manu Chao ne me dérange même plus lorsqu'il passe à la radio et les albums de

Zappa prennent la poussière sur l'étagère. Clinga m'envoie un texto pour me demander comment je vais. Je réponds en lui retournant la question. Elle me propose de venir dîner avec elle et dit que le ciel est sombre pour elle. J'écoute Richter pendant les soixante kilomètres qui me séparent de chez elle. Heureusement que ma voiture a un GPS, car je n'aurais jamais trouvé sa maison dans Lausanne où il y a tellement de bandes blanches sur les routes qu'il y aurait de quoi repeindre le Mont-Blanc. Je la retrouve chez elle, les traits tirés, le regard noir, la voix cassée. À travers les quelques banalités qu'elle me raconte durant les dix premières minutes, je comprends que l'homme qui lui avait fait croire à un conte de fées est parti. Elle ne comprend pas, elle souffre et n'arrive plus à garder ses tripes en place. Elle parle en cuisinant, jusqu'à ce que je lui demande de cesser de me conter une fable. Depuis le temps que je l'écoute, j'entends à dix mètres qu'elle souffre. Elle s'assied et laisse couler de grosses larmes. Rien de ce qu'elle me raconte ne me surprend. L'homme qu'elle avait suivi à Lausanne n'a pas tenu huit reprises. En moins de sept ans, il a utilisé en vain tous les trucs possibles pour la mettre dans un cadre et logiquement, la première fille qui lui a fait croire qu'il avait un petit pouvoir lui a fait tomber le pantalon. En revenant à une fille de son âge, il retrouve une virilité qu'il avait perdue et ne savait plus comment récupérer. La suite est écrite. Il faudra qu'il la casse pour retrouver l'impression d'être un homme. Il va faire partie de ces humains qui oublient qu'il y a eu de l'amour, de la passion, et que personne ne devrait payer l'addition une fois la flamme éteinte. Clinga mélange le rêve et le sens de la réalité. L'expérience et les réflexes d'une petite fille. Un Chaperon rouge qui tomberait amoureux du grand méchant loup. Elle pleure sur son rêve en s'excusant d'oser me parler de sa situation. Comme si le fait que j'aie perdu mon fils lui interdisait d'être triste. Quand elle me demande si on peut recoller les morceaux cassés d'un vase, je lui réponds que oui, à condition de retrouver tous les morceaux et que la colle soit la bonne. Au bout de deux heures nous mélangeons nos tristesses. J'arrive à parler avec elle, lui dire que je n'ai plus d'estomac. Le rongeur que j'ai dans le ventre n'a plus rien à grignoter. Elle recommence à s'excuser de me parler de l'homme qu'elle aime et qui l'a quittée. Je m'évertue à lui expliquer que les souffrances ne se comparent pas, qu'il n'y a pas d'échelle et que la souffrance fait mal, pas plus, pas moins. Elle cherche à comprendre comment elle s'est pareillement trompée. Je lui raconte des histoires inventées de toutes pièces pour lui dire qu'elle doit conserver ce qu'il y a eu de beau dans ces années, que ces belles choses, personne ne pourra les lui enlever. Je vais même jusqu'à lui dire que si c'était à refaire en connaissant la fin, je ferais la même chose. Je lui assure que je garde au fond de moi toutes les belles images que j'ai d'André. C'est la seule chose qu'il me reste. J'ai certainement gommé de ma mémoire tous les moments pénibles, mais en fin de compte, la vie est une série de petits arrangements. La douleur à la jambe m'empêche de rester assis. Je lui parle en marchant dans sa cuisine. Elle boit après chaque crise de larmes. Vers une heure du matin, elle me demande de rester, elle ajoute que nous avons trop bu pour prendre le volant. Je n'ai bu que de l'eau. J'avale de la morphine pour stopper la crise. J'accepte son invitation. À l'étage, elle se glisse dans son lit et m'arrête lorsque je me dirige vers le bureau d'à côté pour m'étendre sur le canapé rouge.

– Dors avec moi s'il te plaît.

Je me déshabille devant elle comme je le ferais à la plage. Elle écarte les couvertures et je m'étends à côté d'elle. Je me rends compte que cela fait presque sept ans que je n'ai pas tenu une femme dans mes bras, que je n'ai pas ressenti le moindre désir. Elle se blottit contre moi et passe ses mains sur ma peau. J'ai l'impression de redécouvrir cette sensation. J'aimerais tout laisser tomber, me foutre de tout et lui faire l'amour. Je la connais suffisamment bien pour savoir qu'elle ne me repousserait pas. Elle tiendrait compte de mon désir sans se poser de question sur ce qu'elle désire elle-même et me laisserait faire pour m'offrir un peu de bonheur, sans avoir vraiment envie de ça en ce moment. Je la bloque contre mon corps. Je la garde contre moi comme je tiendrais ma fille et je décide que même s'il y a des années qu'elle vient dans mes rêves, je ne veux pas d'un ersatz de relation sexuelle. De plus, depuis le temps, je ne sais absolument pas si je fonctionne encore. Je n'ai même pas le temps de réfléchir à la question qu'il faut que je me déplace pour qu'elle ne sente pas que j'ai une érection. Nous restons enlacés durant trois quarts d'heure, en échangeant des mots tendres. Lentement, elle glisse vers le sommeil. Je sens son corps se détendre et sa respiration devenir régulière. Avant qu'elle ne s'endorme, elle m'embrasse tendrement dans le cou. Mon corps se tend comme la corde d'un arc et j'étouffe un cri de surprise lorsque j'éjacule. Je reprends ma respiration en espérant qu'elle ne s'est rendu compte de rien et je la regarde dormir contre moi, envahi de sensations et de sentiments contradictoires ; entre gêne et joie, envie et surprise, certain d'avoir agi correctement, étonné de sentir ce liquide chaud. Je la garde contre moi toute la nuit, la cloche de l'église de Lausanne me donne chaque heure une note, une musique qui me balade soixante minutes.

Lorsque j'ouvre les yeux, elle me tend un café et me dit que je souris quand je dors. J'ai l'impression d'avoir dormi une heure puisque j'ai entendu la cloche sonner sept coups. Elle me dit qu'elle a rendez-vous chez son médecin et que je peux rester tranquille, au lit. Je saute dans mon pantalon et je sors avec elle. Avant de partir, elle m'embrasse tendrement, me remercie, recommence à s'excuser et me promet qu'elle me téléphonera très vite. Je lui rappelle que demain comme hier je serai là pour elle et qu'elle n'a aucune obligation à mon égard.

Avant de monter dans sa voiture, elle me regarde et me lance que c'est de moi qu'elle aurait dû tomber amoureuse. Je m'arrête au bord de la route après quelques kilomètres et j'avale une gorgée de morphine. La crise qui démarre ne s'arrêtera pas avec une dose normale. J'incline mon siège et je m'assomme avec trois doses en espérant que je pourrai rester dans la voiture, vu la force avec laquelle la douleur attaque ma jambe. Trois secondes plus tard, je m'évanouis, pour reprendre connaissance cinq heures plus tard.

Lorsque j'ouvre à deux policiers, je ne suis même pas surpris. Je sais pourquoi ils viennent et je les fais entrer. La loi des séries : la Poste me fait solder le compte de mon fils et malgré le fait que j'aie payé les trente-cinq centimes de découvert et fourni l'acte de décès, j'ai reçu une lettre me faisant observer que le titulaire du compte, décédé, n'a pas signé. Les policiers reprochent à mon fils de ne pas s'être présenté au recrutement militaire. Le plus jeune des deux fouille les chambres, le plus âgé essaye de comprendre pourquoi je lui ai dit que je ne pouvais pas faire mieux qu'envoyer un acte de décès. Au bout d'une minute, il regarde le dossier et me dit que mon fils ne peut pas être mort car il n'a pas vingt ans. Lorsqu'il comprend l'énormité de la situation, il rappelle son jeune collègue et lui intime de cesser de me faire la morale.

Le soir, je raconte à ma femme l'épisode des flics, mais elle est ailleurs. Elle passe beaucoup de temps avec une autre personne et j'entends dans sa voix que c'est un rapport unique. Je sens qu'elle est amoureuse même si elle ne s'en rend pas encore compte. Je laisse aller car je n'ai plus rien à lui donner. Cela me rend heureux de la voir revivre et je suis reconnaissant à cette personne de redonner le sourire à ma femme, même si je dois la perdre. Je crois que cela fait partie de ce que la disparition de mon fils a modifié en moi. Je perds sans broncher.

Au fur et à mesure que les semaines défilent, le passé remonte sans logique, mélange de médicaments et de recherche de moments heureux. Pour ne pas avoir André devant les yeux, je me replonge dans mes souvenirs d'enfance. Le duplex de mes parents était un mélange de livres et d'objets décoratifs, héritage maternel rococo auquel elle vouait un culte de séide. L'ensemble des murs étaient tapissés de livres et les rares places libres que ma mère avait gagnées de haute lutte, quitte à murer une porte, étaient rapidement recouvertes de tableaux d'artistes divers qu'elle rencontrait dans l'association pour la défense des musées à laquelle elle consacrait son temps libre. Dans les rares bibliothèques qui ne frisaient pas l'indigestion de livres, les emplacements disponibles étaient immédiatement squattés par des bibelots chétifs représentant les personnages de la *commedia dell' arte* ou des angelots morbides, ridés par des réparations à l'Araldite ou toute autre colle. En les préservant de l'usure du temps pendant mille ans, un historien averti en panne de sujet pourrait facilement écrire une thèse sur l'évolution des colles et leurs capacités de résistance. Sans recul aucun, une certitude saute aux yeux : la porcelaine et le verre soufflé des XVIe et XVIIe vénitiens survivent difficilement à la croissance de trois garçons turbulents et à divers objets volants rebondissants. Ma mère s'obstinait à les sauver des balles de tennis dont la trajectoire modifiée par des diablotins facétieux allait automatiquement vers les plus précieux.

Durant toute mon enfance, je me demandai comment les livres et l'inutile pouvaient cohabiter. Les livres étaient régulièrement lus, consultés et contenaient des myriades de mots incompréhensibles, ouvrant des horizons nouveaux. Les bibelots ne pouvaient même pas servir de figurants dans une bataille de soldats de plomb ou de cibles civiles dans une reproduction à l'échelle de la bataille de *Rio Bravo*.

Malgré d'innombrables visites dans les musées genevois, nonobstant des explications pédagogiques éclairées, je restais imperméable à toutes les formes d'expression visuelle. Le cinéma muet ne m'aurait certainement pas touché et tout ce qui ne contenait pas de sons était pour moi du domaine de la nature morte.

Durant certaines périodes, le salon se remplissait de tableaux de peintres suisses et d'un historien d'art qui, hormis le fait d'être le père d'une jolie fille, portait le nom d'un fer à repasser, suisse lui aussi. Ma mère passait alors des heures à discuter de peinture en buvant du thé. Elle paraissait heureuse de parler de la technique unique de tel ou tel peintre pour coucher sur la toile les montagnes helvétiques et s'esbaudissait du courage qu'il fallait pour partir dans les Alpes en calèche afin d'y planter un chevalet.

La distance avec ma femme s'accentue chaque semaine et je ne fais rien pour inverser le processus. Elle vit à côté de moi, mais ne partage plus d'instants en ma compagnie. Je hausse le ton quand ma fille est concernée. Lorsque, en pleine nuit, la mère de mes enfants recoud les plaies que ma fille s'est infligées. J'ai beau me fâcher, je reçois en pleine figure qu'elle n'a pas confiance en mes réactions et qu'elle ne veut et ne peut gérer à la fois mes angoisses et la tristesse de ma fille.

Le matin je passe souvent au cimetière et je raconte ma vie à une plaque de laiton. Il n'y a jamais personne et ses voisines ne répéteront rien. Je peux tout lui dire. À force de lui parler de moi, je me rends compte qu'elle me connaît comme personne. Peut-être à cause de la morphine et des médicaments dont j'abuse, je crois que je ne me connais pas.

Je ne fais rien, sauf pour autrui. Je reste couché le plus souvent possible. Je ne fais même plus l'effort de simuler. La chambre est bien le seul lieu où j'ai l'impression que rien ne peut m'arriver. Je n'en sors que contraint et forcé. Au mieux il faut qu'un proche me demande un service pour que je bouge.

Clinga ne déménage pas, elle fuit. Je l'aide comme je peux, mais personne n'empêche quelqu'un qui nage avec des parpaings de se noyer. Elle achète et vend mal. Du moment qu'elle s'éloignait de Lausanne, elle aurait pris une cabane en bois. Je ne l'aide pas, je suis juste présent. Je ne peux même pas maîtriser les dégâts. Elle va trop vite, je suis trop faible. Pour une heure avec elle, je sais qu'il me faudra huit heures de sommeil. Entre le manque de morphine et le manque d'elle, je cède aux deux. L'avant-dernière nuit à Lausanne, elle me demande de lui faire un enfant et de tout lui faire oublier. Elle ne ment pas, elle est trop triste pour ça. Encore une fois, je pèse le pour et le contre. Tout recommencer, repartir à zéro et tout oublier. Ne pas penser à la maladie et au fait qu'elle a toujours un homme dans la peau, se placer, le tout pour le tout. Mais je ne peux pas. J'en crève d'envie, j'aimerais que ce soit vrai, mais elle se ment à elle-même. Je ne peux pas. Il me reste une morale, quelque part. Je lui parle de prendre le temps. Les mots m'arrachent la bouche mais je les dis. Je me torpille tout seul et j'attends qu'elle dorme à poings fermés pour aller pleurer dans la pièce d'à côté. Trop tôt, trop tard, c'est une question de tempo. Je ne peux pas rentrer dans la musique à cet instant. Il n'y a pas de place. J'ai envie de jouer, mais la ligne mélodique ne se prête pas à des basses violentes à cet endroit. Elle me fait mal. Je la regarde dormir et je ne lui en veux pas. Il me reste une compagne fidèle et toujours présente, prompte à me rendre visite et à se rappeler à mon bon souvenir. J'avale de la morphine et j'attends le matin. Lorsqu'elle me demande si j'ai bien dormi, je réponds par l'affirmative. J'ai fait un choix, pas le bon, juste une résolution. Elle prépare le café comme si elle n'avait rien dit la veille. Je lui parle de ma fille et de ma volonté de la préserver de tout choc. Le besoin de rester droit et de ne pas me comporter comme une ordure. Elle acquiesce. Je me crucifie. Dès qu'elle sort de la pièce, je plonge la tête dans sa literie pour pleurer et crier sans que personne ne m'entende. Il y a encore son odeur, je sais déjà que je vais pouvoir la ranger au rayon des souvenirs. Lorsque la morphine fait effet, je replonge dans mon enfance, juste pour voir d'où me vient cette volonté de rester droit, même si je dois ensuite me haïr.

Sous le grand marronnier, les convives adultes n'avaient rien d'incultes idiots. Une grande asperge masquant difficilement son homosexualité soutenait une théorie incompréhensible pour un enfant de six ans. Ma mère avait une certaine tendresse pour ce bibliothécaire maniaque qui ricanait comme une chèvre et ne conversait qu'à coups de citations de grands auteurs. Après un long silence, chose particulièrement rare, je demandai la définition d'un mot à mon père qui se promenait dans sa pensée en jouant avec les filets de perche de son assiette pour ne pas avoir à écouter les babillages du « citophile ».

Mon père sortit son stylo plume Parker de sa poche et déplaça son assiette. Il dessina un visage stylisé sur la nappe et entoura de plusieurs traits le cerveau puis le divisa en trois.

– Le moi, le ça et le surmoi. La première partie, c'est ce que tu sais, c'est la frontière qui sélectionne ce qui vient du ça. Le ça est la partie la plus mystérieuse. Le surmoi est une sorte de moyen de défense contre ce qui vient du ça pour protéger le moi.

– Protéger de quoi ?

– De tout ce qui n'est pas acceptable par la partie consciente de ta personne. Le surmoi reçoit chaque jour des milliards d'informations dont certaines ne seraient pas supportables par la partie de toi qui te connaît, celle que tu montres et qui est remplie de tout ce que tu as appris et que tu es capable d'utiliser. Chez nombre de gens, l'inconscient contient beaucoup plus de choses que le conscient. Et le ça bloque tout ce qui pourrait nuire à l'image que la personne se fait d'elle-même.

– Et comment ça marche ?

– Cela fait partie des nombreux mystères de la vie. Il n'y a pas de certitudes et seuls les imbéciles en ont, ou les inquiets. Certains pensent que c'est un processus chimique, d'autres électrique ou encore complètement mécanique. Quoi qu'il en soit, si tu veux un exemple, tu te souviens du livre que tu as regardé hier ?

– Celui avec le monsieur qui a une tête de caméléon ?

– Oui, Jean-Paul Sartre. Il explique que lorsqu'il était enfant, alors qu'il était très amoureux de sa mère, il l'aurait vue en train de faire l'amour avec son père. Comme cette image était insupportable à l'enfant, le cerveau aurait troublé sa vue et fait en sorte qu'il ne voie plus rien et que les images de son père et de sa mère ne se fixent pas dans sa mémoire consciente.

– Le cerveau peut faire ça ?

– On n'a aucune idée de ce que peut faire le cerveau. La théorie de Sartre en vaut une autre.

Ma mère tenta de changer de sujet, estimant que la discussion n'était pas de mon âge. Je me dis à ce moment-là que je risquais fort de devenir sourd si ma mère ne se taisait pas pour que je puisse poser ma question.

– Mais si le monsieur caméléon sait que c'est parce qu'il a vu piner son père et sa mère qu'il a un œil qui va aux fraises et l'autre qui surveille le panier, pourquoi le cerveau ne remet pas les yeux à la bonne place ?

– Ça, c'est une très bonne question. C'est même une question qui remet beaucoup de théories en cause. Mais je n'ai pas la réponse. Ce sera à toi de trouver tes propres réponses et ta vérité. La tienne et rien que la tienne.

L'idée que des milliers d'informations se trouvaient dans une partie de mon cerveau m'empêcha de dormir et je passai de longues nuits à essayer de forcer les portes de mon subconscient.

À la même époque, Nicola me répara une radio

qui ne recevait que France Inter. Dès que ma mère fermait la porte, j'allumais le poste et attendais les hurlements de guitare de Van Halen et la voix de Patrice Blanc-Francard qui parlait musique avec des mots simples et respect. Une nuit, l'émission Feedback fut consacrée à la sortie de *The Sad Cafe* des Eagles. Dès le premier morceau, alors que je ne dormais pas encore, des séries d'images me vinrent à l'esprit. Les larmes de ma mère lorsqu'elle parlait de sa sœur alors que je ne les avais pas vues et les yeux de Marco derrière un rideau en nylon, terrorisé par le briquet que je tenais à quelques centimètres de son visage juste pour le plaisir de le voir pleurer et de lui dire qu'il n'était pas un homme puisqu'il pleurait comme les filles.

Une nuit de 79, l'émission commença sans annonce avec *Message in a Bottle* de Police. L'enregistreur tournait déjà et seule l'antenne sortait de sous l'oreiller. La journée avait été une succession de brimades de la part de mes enseignants qui se gaussaient des notes médiocres que j'accumulais. La plupart étaient d'anciens étudiants de mon père.

« Incompréhensible d'être aussi ignare avec un père aussi génial. »

Comme si le présentateur compatissait à cette exécrable journée, il donna le titre du morceau et le nom du groupe et laissa le disque tourner. Un batteur d'exception, un guitariste qui venait de la Lune et une petite voix de fausset qui se démenait au milieu d'un flot de sonorités nouvelles. Sa seule amie paraissait être la basse qui lui donnait juste les sons qui manquaient à sa voix pour qu'on puisse parler de chanteur. Mais contrairement au vieux principe basse/batterie, la basse ne se posait pas sur la grosse caisse. Plus les morceaux avançaient, plus on pouvait parler de musique rock, mais avec quelque chose en plus, un mélange de sonorités et de rythmique dont l'explication tenait dans le titre : *Reggatta de blanc.*

« Les choses sérieuses commencent. »

C'est sur ces mots que la guitare lança une mélodie soutenue par un charleston et une grosse caisse. Quelque chose se brisa net comme du verre dans ma tête, et au risque de voir débarquer mon père, je montai le volume. La basse travaillait laborieusement, en collant le minimum de notes pour laisser la place au batteur qui semblait se prendre pour un orchestre symphonique. Un génie machiavélique, un guérisseur de plaies et un humain qui surnageait comme il pouvait. Les autres sorties furent présentées à la sauvette, comme si cette semaine n'avait pas apporté son lot de galettes noires suffisamment intéressantes pour qu'on y accorde trois mots. Dans mon lit, j'effaçais au fur et à mesure les morceaux, de peur qu'il n'y ait pas suffisamment de place sur la cassette. Dès que *Reggatta de blanc* revenait, rien que les trois premières notes suffisaient à reconnaître ce qui deviendrait un grand groupe. Cette nuit-là je me dis que la musique était à l'image de la vie des humains. Dès le début on reconnaissait les grands des petits, ceux qui resteraient et ceux qui passeraient comme des comètes.

Bring On The Night. Le titre pourrait être la devise de cette soirée.

Pas vraiment un reggae, pas vraiment du rock, l'annonce du mélange des genres, de la fusion de toutes les musiques et des sonorités.

Lorsque l'émission se termina, je mis le morceau en boucle. Sans rien comprendre à l'anglais, je saisis que « demain était un autre jour ». Le morceau tourna encore et encore. La guitare passait sans problème d'un riff classique de reggae à une sorte de mélodie en picking qui devait venir de quelque part du côté de la planète Saturne. Mon père entra dans ma chambre en pyjama et s'assit sur mon lit.

– Tu sais l'heure qu'il est ?

– Non.

– Il est presque deux heures du matin et ça doit être la centième fois que tu écoutes le même morceau.

J'enlevai le coussin de la mélodie de guitare et éclatai en sanglots.

– Écoute ! C'est génial.

Mon père sourit, ému, et me caressa la joue.

– Je ne trouve de la musique que dans les livres. Je ne comprends pas ta passion pour cette musique… et pour la musique en général.

– Il dit que demain est un autre jour ?

– Oui. Ben au moins, tu apprends un peu d'anglais.

– Comment il fait ?

– Comment il fait quoi ?

– Comment il fait pour sortir des sons comme ça ?

– Je ne sais pas. Ce n'est pas mon domaine.

Mon père se pencha sous mon lit et en retira un gros livre des éditions Droz : *L'Usage du monde* de Nicolas Bouvier.

– Tu vois ce livre ?

– Oui.

– Quand je l'ai lu la première fois, j'ai pleuré des heures durant, à cause de la beauté, de la poésie, du courage de Nicolas de partir sur les routes et de s'ouvrir le ventre pour laisser entrer des moments de vie qu'il retransmet ensuite par écrit. Et personne ne veut de ce livre. C'est pour ça qu'il est publié chez Droz.

– Mais c'est ta maison d'édition.

– C'est tout petit... Trop petit pour un livre aussi grand. Mais actuellement personne ne comprend. Il faudra du temps.

– J'espère que ce disque marchera. Tu crois que Bouvier est en avance ?

– Personne n'est en avance. Il y a des artistes qui sont les deux pieds dans leur époque. La plupart des gens ont le regard tourné vers le passé. C'est pour cela qu'il faut du temps, du temps et du travail.

– Tu dis ça pour mes notes ?

– Non. Même si je devrais te casser quelques chaises sur les reins pour te faire travailler. Mais je crois que je n'arriverai pas à te faire faire une chose que tu ne veux pas. Je n'ai jamais vu un enfant aussi têtu. Tu ne mets pas ta pugnacité où il faut, mais si tu étais capable de travailler à l'école avec la même intensité que tu travailles tes oreilles, il faudrait t'envoyer directement à l'université. Et je ne sais pas à quoi cela sert de faire travailler pareillement ses oreilles.

– Je ferai de la musique.

– Il faudra apprendre, travailler.

– Jouer comme lui, on ne peut pas l'apprendre puisque personne ne l'a jamais fait avant lui !

– Non. Ne fais jamais cette erreur. C'est toujours la synthèse de choses qui viennent d'avant. C'est toujours en mettant bout à bout ce qui est dans l'air qu'on trouve. Nul ne crée comme ça, par magie. Il y a toujours des influences, des participations, des rencontres.

– Et comment on sait qu'on est bon ?

– On ne le sait jamais. Les hommes ont plusieurs visages et trois cœurs. Un dans la bouche, celui qui ment, qui donne l'image, la façade. Le deuxième est dans la poitrine, caché, c'est celui qu'ils montrent à leurs amis, à leur femme, et le troisième est celui que seul soi-même on connaît. Celui qui se surpasse accepte de regarder ce troisième cœur.

– Tu l'as déjà vu, le tien ?

– Une partie, oui.

– Et tu es content ?

– Pas de tout. Je n'aime pas mes peurs, mes

angoisses, mon incapacité à ne pas me laisser envahir par la panique lorsqu'il vous arrive quelque chose. La lutte constante pour ne pas contrôler vos vies. L'amour que j'ai pour toi et tes frères est tel que parfois… Tu vois, c'est comme une vague énorme… ça fait des dégâts.

– Je t'aime papa.

– Je sais. Moi aussi je t'aime. Tu ne voudrais pas couper le son et dormir un peu ?

Le morceau venait de reprendre et Sting commençait juste à chanter.

– Une dernière, pour la nuit. Après je coupe, promis.

– Bien. Fais de beaux rêves.

– Demain est un autre jour !

Je ne coupai jamais la musique et m'endormis sur les coups de cymbales de Copeland. Mon père se releva pour couper le son et caressa ma tête, accrochée au coussin.

– Et Dieu sait que j'aimerais savoir ce que te réserve demain.

L'entrée dans la classe se fit au rythme de la grosse caisse. La musique restait présente, comme une drogue dans le sang qui met du temps à s'en aller. Les enseignants parlaient, moi, j'entendais la guitare d'Andy Summers. J'eus droit à quelques remarques sur mon manque d'attention, mais ne les entendis pas. Il fallait que l'heure tourne pour que je rentre chez moi et remette en marche le magnétophone pour entendre encore et encore ce son qui tournait en moi sans trouver de sortie. Les coups de caisse claire et de charleston m'empêchaient de me fixer sur ce qui se passait.

La matinée s'écoula lentement. Toute mon énergie me servit à me repasser les morceaux de mémoire. Exsangue, je rentrai et me précipitai dans ma chambre. Ma mère me demanda si je me sentais bien et je lui dis que j'avais de la fièvre.

Dubitative, elle alla chercher un thermomètre que je fis monter à quarante en le collant sur le radiateur.

Ma mère s'inquiéta et m'ordonna de me coucher le plus vite possible et d'avaler la miraculeuse aspirine qui servait à tout.

Je m'exécutai, refusai le repas et dès que ma mère eut fermé la porte, je me précipitai sur la cassette comme un héroïnomane sur une seringue. Le morceau tourna encore jusqu'à ce que la bande rende l'âme. La voix de Sting avait presque disparu et le morceau défilait de plus en plus lentement en fonction de l'étirement de la bande. Envahi par la panique, j'essayai par tous les moyens de rembobiner la cassette, de lui faire prendre l'air en tournant les deux molettes avec un crayon, mais rien n'y fit. Le morceau disparaissait lentement. J'écoutai le reste pour voir si un autre morceau me procurait la même émotion et me consolai grâce à *Message in a Bottle* et *Walking on the Moon*. Mais le cri du dandy anglais sur le lendemain me manquait. Nicola ne put rien faire pour la cassette et les finances étaient à zéro. Lorsque, vers dix-huit heures, ma mère prit ma température, j'en avais vraiment. Je me laissai aller dans mon lit, submergé par une tristesse désespérée. Mon père rentra un peu plus tard que d'habitude et monta me voir.

– Ta mère m'a dit que tu étais malade.

– J'ai de la fièvre.

– Il paraît. Tu as l'air triste.

– C'est peut-être la fièvre.

– Ta mère m'a donné ton aspirine et un verre d'eau.

– Je vais la prendre.

– Attends ! Je te mets l'aspirine là. Et ça ici. Tu décideras s'il faut prendre de l'aspirine.

Posé sur le lit, le disque. Une pochette bleue avec trois têtes et en haut à gauche le nom : The Police. Les mots ne trouvaient pas la voie de mes cordes vocales. Des images paradoxales m'envahissaient. Mon père dans un magasin de disques, quelle cassette utiliser pour enregistrer le disque, comment me lever pour demander à Nicola de mettre le vinyle sur cassette ? Comment dire merci pour ce qui était plus qu'un cadeau, un médicament contre la peur, une bouffée d'oxygène, des mois de vie à crédit comme des parties gratuites de flipper. Rien ne sortit, pas un son, pas un souffle.

Mon père me caressa la joue.

– Le vendeur dit que tu as bon goût. Dors, il faut que tu te reposes. Tu pourras l'écouter autant que tu veux. Tu vas dormir ?

Je fis signe que oui de la tête et m'effondrai dans

un sommeil profond, d'une grande douceur, tenant dans mes bras le disque encore emballé.

Durant deux semaines, le disque passa jusqu'à l'écœurement. Discrètement, je ramenai plusieurs 6 à mon père pour le remercier, sans jamais oser lui dire merci. Demain était un autre jour et de cela j'étais certain.

Rendez-vous chez le juge d'instruction. Première confrontation avec le conducteur de la voiture. Je n'ai pas fermé l'œil de la nuit. J'ai passé en revue les différentes façons de le tuer. Il faut que je prenne une décision. À quelques secondes du départ, je glisse le Sig dans mon pantalon. Chargé jusqu'à la gueule, monté et remonté, graissé et en parfait état de marche. Une balle est dans la culasse, le chien est tiré, la sécurité mise. Il me faut moins d'une demi-seconde pour le sortir de mon pantalon et tirer trois balles dans la tête de quelqu'un qui serait à quelques mètres de moi. Je sais que je prendrai des années de prison. Avec un bon avocat – et il paraît que le mien est bon – je prendrai entre six et huit ans. Je n'en ferai que quatre au maximum. J'ai passé des jours à peser le pour et le contre. Je ne suis pas certain que mes réflexions aient une quelconque logique. Personne n'a été formé à réfléchir sur la question de tuer ou non un homme. Il y a certes la loi du talion, mais je ne sais pas encore si le fait de le tuer calmera ma rage, mon amertume et la tristesse qui ne me laissent pas une seconde de répit. L'appréhension de ce premier rendez-vous avec le juge vient du fait que ce que je sais de lui n'est pas de nature à me donner confiance dans le système judiciaire. Le premier juge d'instruction a demandé à être dessaisi et celui qui a repris l'affaire confond THC et xylocaïne. Dans le premier courrier que j'ai reçu en provenance de son bureau, mon fils était présenté comme camé et non pas le conducteur ; or on sait que toute personne accidentée et intubée reçoit de la xylocaïne pour faire passer le tube. Manifestement, le juge qui s'occupe de l'affaire ne connaît rien aux effets du cannabis.

Dans l'immeuble, le conducteur nous rejoint devant l'ascenseur. Mon avocat lui fait signe de ne pas y entrer, mais il n'en tient pas compte. Il reste devant moi et ne m'adresse pas la parole. Il est raide comme un piquet et ne dit rien. Son avocat est déjà à l'étage. Pendant la montée, j'ai posé la main sur la crosse du pistolet. Dans un espace clos aussi petit, j'ai deux chances sur trois de blesser une autre personne que le conducteur. Si la balle ricoche contre la paroi en acier, je risque de faire du mal à ma propre femme ou de me prendre la balle en retour. C'est le désavantage de l'étain sur le plomb. Si j'avais un six coups, la balle s'écraserait contre la paroi et ne ricocherait pas. À bout portant, les dégâts en pleine tête seraient mortels et spectaculaires. À la limite, me prendre la balle qui tue le conducteur ne me pose pas de problème, mais l'idée de faire du mal à quelqu'un d'autre m'est insupportable. Dommage que les flingues ne fonctionnent pas dans la réalité comme dans les films.

Durant l'heure de la rencontre, je n'écoute rien. Je passe en revue les possibilités de tirer, de tuer et la probabilité de faire du mal à une tierce personne. À quelques mètres de distance, les balles agréées par la convention de Genève ne me donnent aucune certitude quant à leur trajectoire et à la distance qu'elles vont parcourir. Tirer une balle de neuf millimètres dans un corps humain ne garantit pas la mort. Même en pleine tête, neuf millimètres de métal peuvent passer à travers un crâne sans causer de dégâts mortels. Les cas de personnes qui ont tenté de se suicider et qui se sont ratées avec une balle en pleine tête ne sont pas aussi rares qu'on peut le penser. La loi est faite de telle manière que dans le cas d'agression corporelle, il vaut mieux tuer la personne que la blesser car dans ce cas il faudra payer une pension pendant le restant de ses jours. Dans le cas d'une mort subite, le coût est très nettement inférieur. Comme la loi cherche à réparer, la plupart du temps c'est, en fait, l'argent qui le permet. S'il n'y a personne pour toucher l'argent, le coût du meurtre est moindre. Tuer ou le laisser vivre. Une heure pour y penser. Ne faire du mal à personne. Soixante minutes pour ne pas causer de dommages collatéraux. Trois mille six cents secondes pour essayer de savoir si la mort du conducteur apaisera ma détresse.

De retour chez moi, mon cerveau continue à tenter de trouver la bonne réponse alors que le conducteur n'est plus là. Lorsque je range le pistolet, je me pose toujours la question de savoir s'il fallait tirer ou pas. Imaginer de tuer est une chose. Le faire en est une autre. Il faut cesser de penser et le faire. N'importe qui de sensé ne fait rien dès qu'il pèse le pour et le contre.

Il n'y a pas un jour sans que je ne pense à Clinga. La voix de ma femme a changé. Une tierce personne est présente dans sa vie et je n'arrive pas à faire autrement que m'en réjouir. Elle revit. J'entends sa voix. Il y a de l'amour quand elle parle avec cette personne qui a peur de moi et de mes réactions. Je fais tout pour qu'elle soit à l'aise à la maison. Je sens dans sa voix les points de rupture mais je n'appuie pas dessus. Après ces années de larmes, s'il y a quelqu'un qui mérite d'être heureuse, c'est ma femme. J'en arrive à me coltiner des discours violents avec ma fille, laquelle fait une crise de jalousie et se plaint du temps que sa mère passe en compagnie de cette Dominique. Je lui rentre dedans violemment en lui demandant de ne pas se mettre entre les deux et de ne pas obliger sa mère à choisir. Elle n'entend pas les sons ou ne sait pas les interpréter, mais il faut être sourd pour ne pas entendre que sa mère est heureuse lorsque Dominique est présente. Et elle est en état de besoin. Il ne se passe pas deux jours sans qu'elle ne vienne à la maison ou que ma femme ne la rejoigne pour faire telle ou telle activité. Elle peint, fait de la varape en salle et passe des heures à se balader. Je suis une coquille vide. Je n'ai plus rien à offrir. Je n'ai plus le courage de regarder hier, maintenant m'indiffère et demain est beaucoup trop loin pour que je me pose des questions. Ma fille prend un savon mémorable. Je lui déballe toute la vérité sur ce qu'elle croit être la fin merveilleuse de son frère et la chance incroyable qui lui a permis d'être parmi les premiers à le voir. En peu de temps, son frère est devenu une idole et j'endosse tous les coups qu'elle a reçus depuis sa naissance. À l'entendre, on croirait une enfant battue alors que je n'ai pratiquement jamais levé la main sur elle. Je prends sur moi ses remarques comme des crachats en pleine figure lorsque sa mère ne remet pas les choses à leur juste place. Mais la vérité n'a aucune importance, seule compte l'histoire qu'elle a bâtie et qu'elle fera sienne. De toute façon il ne sert à rien de la contredire, ses souvenirs sont ceux qu'elle s'est construits et je ne peux que lui donner la clé de la mort de son frère et de ce que j'ai accepté de faire, pour moi certainement, mais aussi pour qu'il ne me crache pas dessus si un jour il se révèle que les croyants ont raison. Elle encaisse la nouvelle en pleurant et se blottit dans mes bras pour me remercier de lui avoir fait confiance. Je sais déjà que cette confidence va me revenir comme un boomerang, mais j'ai besoin qu'elle sache. Casser le non-dit et ne pas la laisser dans l'ignorance, qu'elle ne croie plus que la vie se passe comme dans les séries télévisées. Elle reste toute la soirée dans mes bras et passe dix jours dans un calme et une sérénité que je ne lui ai plus vus depuis l'accident de son frère. Les souvenirs d'avant restent enfouis et liés à des musiques que je n'arrive pas à mettre bout à bout pour en faire un album cohérent.

Le dernier Radiohead tourne en boucle et en une journée il passe quarante-deux fois. Je ne fais plus de musique. Les mots ne sonnent plus, les basses ne me calment plus. Je retrouve quelques habitudes, des objets importants pour moi, et j'accepte de les perdre. Un stylo Caran d'Ache que m'a offert André, une plume ou un calepin aux pages blanches acheté à Venise, quand nous étions encore quatre, quand j'avais encore besoin d'écrire trois heures par jour. Je passe du temps chez Clinga. Je sais déjà la suite, mais pour le moment, je prends sans me poser de question. J'essaye de donner, mais je me rends bien compte qu'au mieux ça ne passe pas, au pire c'est mal pris.

La justice rend son verdict. Cinq ans après. Elle ne juge pas le même homme et l'année de prison avec sursis me laisse de marbre. Le reste est une histoire de sous entre mon avocat et la compagnie d'assurances. Une seule négociation m'a suffi. Je ne suis plus capable de m'infliger la moindre discussion sur la valeur de mon fils ou le montant investi jusqu'à son accident. Mais la logique actuelle veut que l'on répare un préjudice avec de l'argent. Moi je veux mon fils. L'argent sera un parachute pour sa sœur, mais combien de vies gâchées depuis qu'un conducteur en manque de sommeil et drogué a mis mon fils entre les mains d'un médecin qui a abusé de son pouvoir en refusant l'inéluctable. Chaque papier officiel me rappelle que rien ne m'avait préparé à cette éventualité. Les mots sont des outils qui servent à analyser une situation. On est orphelin lorsqu'on perd ses parents, veuf quand on perd sa femme, mais pas de mot pour un fils qui meurt. Je ne peux pas dire que je ne survivrai pas à la mort de mon fils, je ne peux pas me coucher. Le seul message que ma fille entendrait est qu'elle n'en vaut pas la peine. Je suis crevé et je ne crois plus en rien. Plus rien à prendre et plus rien à donner. Il me reste ma carcasse que je brutalise en fonction de la honte que je ressens d'avoir laissé mon fils devenir le cobaye d'un système hospitalier défaillant. Je ne peux que regarder ma femme partir. Je n'ai plus la force de me battre. Je n'attends plus rien et rien ne me fait plaisir. C'est ainsi et il est à craindre que ça le soit longtemps. Lorsque la morphine me permet de trouver un peu de paix, je regarde vivre mon fils au Serengeti, l'immense parc de Tanzanie qui se prolonge au Kenya. Il grandit et réalise ses rêves en soignant des animaux. Il aime la paix et regarde tendrement une femme. Comme tous les pères de ma génération, je ne lui ai rien transmis. Il a choisi de vivre dans un monde qui part en vrille sans avoir la possibilité de s'arrêter. Il y vit en pleine connaissance de cause et se contente de réaliser ses rêves ; la dernière des utopies. Je ne connais rien aux animaux mais son plaisir est le mien, jusqu'à ce que la douleur me rappelle que sa sœur devra vivre dans ce monde bien réel que je ne comprends plus. Il a suffi que quelques cellules s'égarent pour que je perde la vague, que tout ce que je touche devienne triste et laborieux. Une prise de sang, et ce monde qui était le mien m'est devenu étranger, inutilisable. S'il y avait un bouton « Arrêt », j'appuierais dessus. Je ne fais plus de pas en avant, je me contente de parer les coups. Je suis comme un boxeur qui sait qu'il a perdu aux points et qui ne veut pas aller au tapis. Une question d'orgueil, de principe, pour croire encore que je contrôle quelque chose. Il y a très longtemps que je ne maîtrise plus rien, que la vie et les autres décident pour moi. Je l'accepte, il n'y a rien à y redire. Celui qui se tait consent. Il prend le coup et morfle. Il n'y a plus de victime ou de bourreau pour moi. Je ne serai ni l'un ni l'autre. Je crois que la seule peine que je puisse infliger au conducteur de la voiture est de le laisser vivre avec la mort d'un enfant sur la conscience. Je n'allégerai pas sa peine et je dépose les armes. Je n'ai même plus envie de trouver une façon de calmer mes tripes, personne ne me donnera ce dont j'ai envie. Tout le reste est une question de temps. La mort viendra calmer tout le monde et la Terre continuera à tourner comme si de rien n'était, sourde à tous nos pleurs, aux larmes des enfants et aux cris des mères. Pour ceux qui croient, leur Dieu doit rire depuis longtemps de notre volonté de donner un sens à des existences qui n'en ont pas. À bien y réfléchir, Il doit être drôlement blasé depuis le temps. À tout prendre, j'aime mieux ne pas Le rencontrer pour passer une soirée. Mieux vaut encore la morphine. Elle au moins m'apporte un semblant de paix. Je peux croire que je contrôle quelque chose et je préfère cela à l'impression de subir depuis tant d'années.

Début de semaine dans le bureau de mon avocat, en présence des représentants de l'assurance du conducteur. Deux trentenaires faussement polis engoncés dans de coûteux costumes trois-pièces. Après quelques phrases toutes faites, le plus petit me demande de chiffrer la valeur de mon fils. Je lui demande s'il a des enfants. L'autre me répond que l'on n'est pas là pour parler de leurs familles. Quand je demande comment ils estiment la valeur d'un être humain, ils m'expliquent que je n'ai qu'à calculer le montant investi depuis la naissance d'André. Je leur demande s'ils veulent que je calcule depuis les vélos ou depuis les couches et les premiers biberons. Mon humour n'a aucun effet et ils me conseillent de formuler un chiffre raisonnable si je veux éviter encore plusieurs années de procédure. Malgré la décision du tribunal, ils estiment que mon fils a une part de responsabilité et que ses parents ont contribué à augmenter les frais médicaux. Si je les suis dans leurs discours, tout ce que je possède devra être vendu pour payer les dix pour cent réclamés par les assurances. Mon avocat interrompt la discussion juste avant que l'envie de flanquer des claques ne me fasse perdre le contrôle.

Je propose qu'ils continuent cette discussion avec mon avocat, lequel me fera parvenir leurs propositions par écrit. Le plus grand me fait remarquer que mon attitude peut faire perdre des années et engendrer des frais. Sonné, je sors pour entrer dans le premier bistro que je trouve. Dommage qu'il ne soit que dix heures du matin, j'aurais bien commandé un verre d'Oban que je vois sur les étagères. Je prends un café serré et j'essaye de lire la presse qui ne parle bien que du sport local. Je regarde la rue et les voitures, je n'ai plus envie de réfléchir. Arrivé chez moi, je me couche et je cherche le sommeil comme un chien cherche sa queue, en tournant sur lui-même.

Parfois Clinga me tend la main et m'attire vers elle. Je m'allonge près d'elle. J'essaye de ne pas imaginer ce qui pourrait se passer. Elle se blottit contre moi. Il n'y a que le coton d'une chemise de nuit entre sa peau et la mienne. Il y a si longtemps que je n'ai pas tenu une femme dans mes bras que je ne connais plus les codes. Je la laisse prendre l'initiative. J'ai tellement peur de me tromper sur ses intentions que j'évite de bouger. Elle se serre contre moi et m'embrasse sur la bouche. Je ne me souviens plus de quand date la dernière sensation de plaisir qui a traversé mon corps de cette façon. Elle m'embrasse et caresse mon thorax tout en enlevant sa chemise de nuit. Elle est nue contre moi. J'aimerais que cet instant dure une éternité, qu'il ne cesse jamais. J'aimerais mourir. Tout arrêter à cet instant et partir avec cette sensation. Elle promène ses mains sur mon corps et embrasse mon visage. Mon corps m'envoie des messages contradictoires. Le plaisir est fulgurant. Il me traverse et me bouleverse. La peur m'envahit. Le plaisir est une sensation dont le souvenir reste enfoui quelque part. Je dois l'avoir enterré profondément. Les mains de Clinga le déterrent avec une rapidité qui me fait presque peur. Elle plonge son regard dans le mien après m'avoir mis sur le dos.

– Tu crois qu'on vivra ensemble ?

– Je crois que je t'aime suffisamment pour répondre oui à cette question. Je t'aime depuis si longtemps et je ne crois pas que cela changera.

– Ce serait une belle revanche sur la vie. Tu crois que ta fille l'acceptera ?

– Je crois qu'il est possible de faire les changements de façon correcte, sans que quiconque se sente lésé. En laissant aux autres le temps d'assimiler la nouvelle situation et de l'accepter, on évite les débordements et les jeux de haines. J'aimerais construire notre histoire sur du beau et non pas sur les résidus de haines et de frustrations. Ma fille a beau avoir dix-huit ans, je crois qu'il faudra que je lui parle beaucoup et que l'idée fasse son chemin dans sa petite tête. Avec un peu de temps et beaucoup de douceur, nous vieillirons ensemble.

– On pourrait faire un petit ?

– Un quoi ?

– Un petit bébé. Tu n'aimerais pas qu'on fasse un enfant ensemble ?

Mon estomac hurle que oui, bien sûr, tout de suite. Revenir en arrière, tenir un enfant dans mes bras, rembobiner mon existence et la rejouer depuis la naissance d'André. Ma fille aurait un demi-frère et une des choses les plus horribles pour elle serait réglée. Ne pas être fille unique. Je sais tellement à quel point je peux compter sur mon grand frère que je ne conçois pas que l'on vive sans ce harnais de sécurité dans l'existence. Je connais suffisamment Clinga pour savoir qu'elle le ferait ce soir même. Je l'aime, aucun doute là-dessus. Je le sens dans chaque fibre de mon corps. Elle me fait ressentir des émotions qui m'étaient devenues étrangères. Je découvre la jalousie, le manque, le besoin d'être avec une femme. Les sentiments que je ressens pour ma femme sont forts, mais différents. Je sais depuis le début qu'elle se passerait de moi sans problème. Elle a construit sa vie de façon à ne devoir dépendre de personne. Elle est solide sans être dure, forte sans méchanceté. La vie ne lui a rien épargné et elle n'est pas aigrie. Elle voit les gens et ne les juge pas. Personne n'aimerait les vivants quand la vie frappe de la sorte. Et pourtant elle prend soin des vivants. Elle a payé son autonomie au prix fort, et elle ne doit rien à personne. Maintenant elle vole seule et je la regarde comme on admire un aigle dans le ciel.

Clinga ne me fait pas confiance. Elle a perdu cette capacité et reste à distance. Elle a construit un mur très haut entre elle et les hommes. À cause d'un rêve brisé, d'un homme qui n'avait pas la carrure pour la regarder vivre. Je le sais, je le sens. Elle est perdue pour les hommes et il n'y a rien à faire. Peut-être mieux éduquer les garçons. Le mien est parti. Il ne reviendra pas, rien à dire. Clinga appuie sur le bouton « Regrets ». Elle touche là où ça fait mal. Je maîtrise la panique qui m'envahit au contact de sa peau, en me serrant contre elle. Dans toute autre circonstance, j'aurais aimé avoir un enfant avec cette femme unique. C'est une mère exceptionnelle et je n'ai aucun doute sur sa capacité à venir à bout de tous les problèmes qui pourraient survenir. Elle ne le sait pas, mais elle a la détermination d'une plaque tectonique et la vie lui colle à la peau. D'une maison, elle fait un lieu de vie, de trois patates et un poulet, un festin où les convives sont des rois. Un regard sur chacun, un geste pour tous, se mettre en quatre pour que tout le monde se sente bien. Seuls, la tête dans mon cou, elle me parle d'un petit, de notre enfant, une folie que nous serions capables de gérer. Elle est sincère. Je ne pense qu'à la peur qui me submergerait chaque fois que cet enfant ferait un mouvement, un geste. Je ne pourrais pas le laisser descendre un escalier sans y mettre trois matelas. Il vivrait avec un père en état de panique permanente. Ce constat me fait mal, aggravé par l'idée qu'après sept ans de médication lourde et de chimio, je ne suis pas certain que le gosse naisse en bonne santé. Les regrets m'envahissent. Mélange de caresses et de montée de larmes. Je réalise un rêve en ayant, dans mes bras, la femme que j'aime et je n'arrive pas à m'enlever de la tête qu'à cause d'un homme, je ne serai jamais plus digne de porter le nom de père, sauf à accepter de faire de mon enfant un adulte anxieux, enfermé entre mes peurs et mes angoisses. Clinga se comporte avec moi comme si j'étais resté un homme les huit dernières années. J'oublie ma vie durant vingt minutes. Je suis son instrument et elle n'a pas besoin d'user de virtuosité pour que pleurent toutes mes harmoniques. Elle se blottit contre moi, mes larmes coulent discrètement dans ses cheveux. Vu sa respiration, je crois qu'elle dort. Ma main est contre son ventre, mon petit doigt frôle son pubis. Je l'écoute dormir. Elle a l'air apaisée. Cela fait des mois que je ne l'ai pas vue ainsi. Je retire délicatement ma main. Elle la retient avec le bout de ses doigts. Elle ramène ma main vers son pubis et la place entre ses jambes. Je bouge ma main très lentement, sans savoir si j'ai mal interprété son geste ou si elle dort. C'est la confusion totale. Je n'ose presque pas bouger de peur de la réveiller. Si je m'arrête, elle reprend le mouvement avec le bas de son corps. C'est comme avec André. Dès que ma main se retire, elle me retient avec ses ongles et ramène mes doigts à leur position initiale. Je la caresse durant trois heures sans savoir si elle dort. Je tente de comprendre ce qu'elle éprouve. Je ne l'ai jamais vue ainsi, aussi calme. Paradoxalement, ça m'inquiète. Elle respire très doucement et ne bouge que quand ma main fait mine de se retirer. Soudain, elle inspire une grande goulée d'air, ramène ses jambes contre son ventre et se retourne. Je termine la nuit à l'écouter dormir. Je ne ferme pas l'œil. Sa quiétude m'apaise et me calme. Elle est fatiguée, émotionnellement épuisée, et pourtant elle ne ralentit pas. Elle utilise le travail comme anesthésiant, le Valium comme marteau et le whisky comme des clous de cercueil. Elle ne fait rien pour se simplifier la vie, augmente les obligations, les complications et la prise en charge d'autrui. Malgré tout ce qu'elle s'est mis sur les épaules, elle trouve du temps à consacrer à son fils. Le rythme de ses journées est homérique. Le soir, elle s'écroule. Où qu'elle soit, juste après avoir endormi son enfant, quelle que soit la situation. N'importe qui aurait éliminé les cochons d'Inde, le tri sélectif ou les visites dans les hôpitaux. Clinga ajoute des poules, écrit un livre, pense à un poney pour son fils et monte avec un groupe d'acteurs un spectacle digne d'un opéra de Wagner.

Clinga arrive à écrire un livre puis à en faire une pièce de théâtre. Elle sait écrire et connaît toutes les ficelles de la mise en scène. Incapable de lui dire non, j'accepte même de jouer mon propre rôle dans la pièce et de tenir des propos que je ne partage pas. Je retrouve, dans son livre, certaines de mes métaphores. Je passe mon temps à les tester sur mes proches, juste pour voir si les gens comprennent le message que j'essaie de faire passer. Je ne lui en veux pas. Elle ne pouvait pas savoir. En fermant le livre, je sais qu'il n'y aura pas de suite à notre histoire. C'est trop tôt ou trop tard. Ce n'est la faute de personne et je prends la décision de l'accepter, même si elle soutient le contraire. Il y a des histoires comme ça.

Lorsque les coureurs quittent les starting-blocks, on reconnaît immédiatement les champions des tocards. Il n'y a plus grand-chose à dire. C'est ainsi.

Quand la bille est lancée, on sait qu'on ne l'arrêtera pas. Elle s'arrêtera toute seule. Le résultat tombe, immuable. C'est un père, perd et passe.

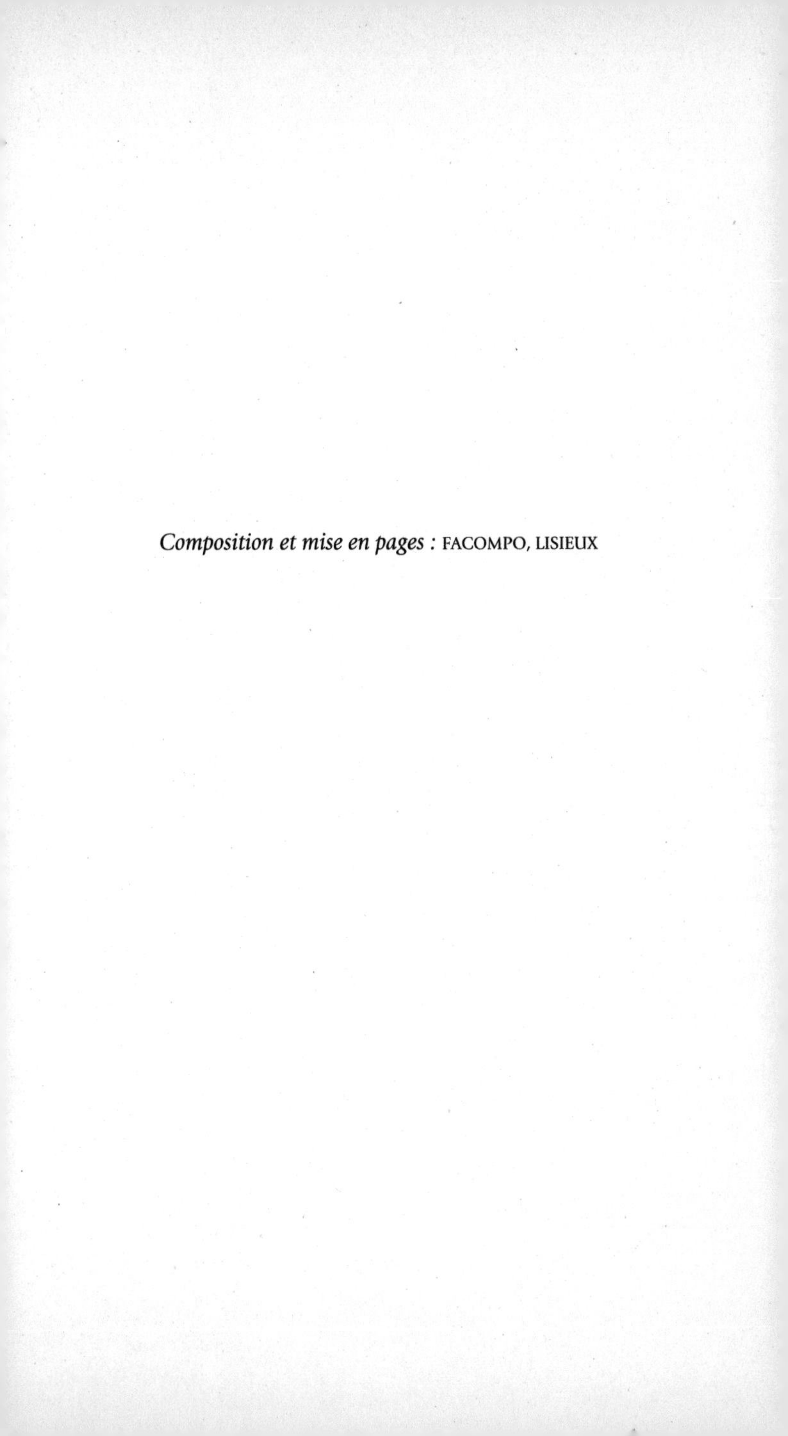

Composition et mise en pages : FACOMPO, LISIEUX

Achevé d'imprimer en décembre 2009 par Corlet Imprimeur - 14110 Condé-sur-Noireau
Dépôt légal : janvier 2010 - N° d'Imprimeur : 125333 - *Imprimé en France*